La biblioteca de aula

Formas de potenciar su valor educativo

Estrategias de organización y uso de la biblioteca para aumentar los logros de los alumnos en el aprendizaje de la lectura, probadas por docentes y basadas en investigaciones

Por D. Ray Reutzel y Parker C. Fawson

SCHOLASTIC
LIBROS PARA DOCENTES

NEW YORK • TORONTO • LONDON • AUCKLAND • SYDNEY
MEXICO CITY • NEW DELHI • HONG KONG • BUENOS AIRES

Dedicatorias

A los muchos docentes que continúan inspirándome con su irrenunciable compromiso hacia los niños y las escuelas, expreso mi más profundo aprecio. Les agradezco a quienes han enseñado a mis cinco hijos durante los últimos veinte años, y a ustedes, que han de enseñarle aún a mis hijos y nietos.

A mi esposa Pam, que es ella misma una maestra maravillosamente eficiente, una madre ejemplar, y mi más querida amiga en esta vida y más allá.

A mis cinco maravillosos hijos, Chris, Jeremy, Candice, Cody y Austin, y a mis tres nietos, Dylan, Denver y Carter, que continúan inspirando mi amor por la educación y la esperanza de que todos los niños en todas partes puedan tener las mismas oportunidades de acceder a una excelente educación. —RR

A mi esposa Debra, que me ha inspirado con su honestidad y su amor por el aprendizaje. Su apoyo y aliento para culminar este libro han sido profundamente apreciados. Ella es mi inspiración y mi querida amiga.

A nuestros cinco asombrosos hijos, que le agregan significado y objetivo a la vida.

A los muchos niños, maestros y colegas que han difundido mi conocimiento de la poderosa influencia del contexto en el éxito de la lectura. —PCF

Reconocimientos

Este libro comenzó años atrás con un grupo de estudiantes graduados, maestros, administradores y niños. Después de muchas horas de observar los "lapsos de biblioteca" en las escuelas, determinamos que esta experiencia educativa era desaprovechada y solo casualmente conectada al programa de literatura escolar. Condujimos investigaciones para entender cómo los niños seleccionan los libros y cómo los maestros construyen y mantienen bibliotecas de aula.

Al profesorado y los administradores de las Escuelas Elementales Sage Creek, Grant y Art City de la ciudad de Springville, Utah, les decimos gracias por ayudarnos a emprender este viaje al interior de las bibliotecas de aula. A los maestros de estas escuelas y muchos otros del centro de Utah, en los distritos escolares de Alpine, Jordan, Nebo y Provo, les expresamos nuestro agradecimiento por brindar ideas, abrir sus aulas a los fotógrafos y hacer sugerencias sobre los borradores de este libro. Y a los alumnos que nos enseñaron tanto cuando compartimos sus clases, les damos las gracias. No podríamos haberlo llevado a cabo sin toda esta gente maravillosa.

A Merryl Maleska Wilbur, nuestra editora, le ofrecemos nuestra gratitud por mantenernos dentro de los tiempos, por ofrecernos el aliento que necesitábamos, por hacer que nuestro libro hable con una voz y una potencia singulares, y por brindarnos desinteresadamente sus talentos. Ella fue consistentemente complaciente y muy meticulosa en su trabajo.

A Wendy Murray y Terry Cooper, les expresamos nuestra gratitud por darnos una oportunidad de compartir nuestras impresiones con maestros a través de la eficaz red de libros profesionales publicados por Scholastic. Sin su fidelidad y visión, este libro no hubiera sido posible.

A Jackie Swensen, la diseñadora del libro, le agradecemos por capturar gráficamente el espíritu de nuestro mensaje y por atender cientos de detalles de manera puntual y eficiente.

Hemos disfrutado de la oportunidad como colegas de aprender el uno del otro al escribir este libro. Ha sido un viaje más a lo largo de un extenso y continuo camino como colegas y amigos.

Gracias a los alumnos y los maestros cuyo trabajo aparece en este libro. Un agradecimiento especial a Judy Freeman, Diane Mines y Jean Turner, quienes han aportado impresiones e ideas únicas; sus contribuciones están anotadas individualmente a lo largo del libro.

Diseño de tapa: Jim Sarfati
Diseño interior: Solutions para Design, Inc.
Fotos de interior: Archivo de Scholastic Argentina y gentileza de los autores.
Foto de tapa: Archivo de Scholastic Argentina
Traducción y edición en español: Nora Legorburu
Scholastic Argentina agradece la colaboración de las siguientes personas en la versión en español: Hilda Rodríguez (Directora General del Complejo Educativo C.A.I.); Emiliano Fernández; Juan Pablo Saint Genez; Laura Prieto; Natalia Roza; Cristina Comajuan.
Un reconocimiento especial para Gonzalo Adrián Elías.

ISBN 10: 987-22721-0-7
ISBN 13: 978-987-22721-0-4

D.R© 2002 D. Ray Reutzel y Parker C. Fawson. D.R© 2002 Scholastic USA. D.R© 2006 Scholastic Argentina.
Dirección: Dardo Rocha 2406, 1er piso, Martinez (B1640FTH).
Provincia de Buenos Aires, República Argentina
scholastic@scholasticargentina.com- Impreso en Argentina - Hecho el depósito que previene la ley 11.723

Day, Reutzel
La biblioteca de aula : formas de potenciar su valor educativo / Reutzel Day y Fawson Parker - 1a ed. - Buenos Aires : Scholastic, 2006.
102 p. ; 28x22 cm.
ISBN 987-22721-0-7
1. Formación Docente. I. Parker, Fawson II. Título
CDD 371.1

1 2 3 4 5 6 7 8 9 10   40   08 07 06 05 04 03 02

Índice

Cómo la biblioteca de aula respalda la lectura *a* los niños

Cómo la biblioteca de aula respalda la lectura *con* los niños

CAPÍTULO 5
Cómo ayuda la biblioteca de aula a fomentar la lectura independiente . . 77

CAPÍTULO 1

Crear y mantener una biblioteca de aula funcional

Una biblioteca de aula es a un programa equilibrado de lecto-escritura lo que una cocina es a una casa. La biblioteca de aula es el lugar donde se unen los ingredientes para que la gente pueda reunirse y probar una rica variedad de géneros literarios. Las bibliotecas de aula, como las cocinas, proveen alimentos básicos (la colección estable de libros), junto con excitantes recetas nuevas (libros que van y vienen). Las bibliotecas de aula, como las cocinas, también dan provisiones para comer en el lugar o para llevarse. Los alumnos pueden leer ahí mismo, hojear los libros, cambiarlos con amigos, o hacer pedidos de libros.

Las bibliotecas de aula deberían ser más que colecciones fortuitas de libros donados, libros de saldo, o aquellos que se ganan en promociones. La biblioteca de aula puede considerarse un eje organizador alrededor del cual gira un programa educativo balanceado de gran alcance. Si la biblioteca de aula está provista adecuadamente, ordenada con criterio, y usada interactivamente, formará la base del éxito de la educación (Neuman, 1999).

La biblioteca de aula es cada vez más importante

LA ENSEÑANZA EN ACCIÓN: *la Gran inauguración*

Como maestra de primer grado, el centro de aten-

ción en mi aula es nuestra biblioteca. Desde el primer día de clase, todo lo que hacemos está vinculado de alguna u otra manera a ese "espacio mágico". Nuestra biblioteca tiene muchos estantes de libros, la mayoría de los cuales están ordenados de la A a la Z, divididos en secciones de libros para leer en vacaciones, libros sobre osos, libros de poesía, libros de abecedario, libros para principiantes y una variedad de otras secciones temáticas o por autor.

No abro la biblioteca completa durante las primeras semanas de clase; en lugar de ello, la abro gradualmente por etapas. Esto crea una maravillosa sensación de emoción y expectativa entre los niños. Sería abrumador (y no muy práctico) que los niños seleccionaran libros de la biblioteca libremente ni bien empiezan las clases. Así que, durante las primeras semanas, trabajamos en grupo para desarrollar pautas sobre manipulación y cuidado de libros; para aprender cómo está organizada la biblioteca y poder encontrar lo que necesitamos y deseamos; y para aprender qué clase de libros tenemos en el aula. También aprendemos a usar "halla-libros", que son marcadores plásticos especiales que toman el lugar del libro en el estante y le recuerdan a los niños dónde regresarlo si se han olvidado nuestra regla de orden alfabético.

Durante estas primeras semanas, los alumnos pueden usar libros que están ubicados en diferentes sectores del salón de clase. Como tenemos una biblioteca de aula muy grande, los libros se exhiben por todo el salón, en recipientes plásticos y en estantes más pequeños, y en un sujetador de libros (ver la foto de la página 22). Los sujetadores, que exhiben libros por el frente para que los niños puedan ver las tapas, están organizados por temas de principio de año, como libros de abecedario, libros sobre la familia (la primera unidad de Ciencias Sociales), libros sobre rocas / arena / suelo (nuestra primera unidad de Ciencias Naturales), historias de otoño, etcétera. Los niños seleccionan libros de estos sujetadores a lo largo del día para actividades de lectura silenciosa o para investigación.

Además de todos estos libros, hay recipientes de color con libros rotulados en los estantes superiores de nuestra biblioteca. Estos libros están disponibles para los niños después de aproximadamente las tres primeras semanas de clase.

Mientras ocurre todo esto, hay un gran cartel en el área de los estantes que dice: ¡Estos estantes de la biblioteca no están habilitados!

¡ESTOS ESTANTES DE LA BIBLIOTECA NO ESTÁN HABILITADOS!

Muy pronto será la Gran Inauguración ¡No se la pierdan!

El día que inauguramos los estantes llevamos a cabo una pequeña ceremonia. Cuando se cae el cartel hay una fanfarria con música. Es un momento excitante y de mucha expectativa: ¡Nuestra biblioteca de aula está oficialmente inaugurada!

Diane Mines, maestra de primer grado, Dutch Neck School, Princeton Junction, NJ.

Muchos docentes han comenzado a reconocer la necesidad de establecer sus propias bibliotecas de aula. Hoy más que nunca debemos considerar la importancia de que se les lea a los alumnos, tanto para fomentar su lectura compartida como para que tengan la oportunidad de leer una amplia variedad de textos independientemente. Las investigaciones han demostrado una y otra vez la correlación entre la cantidad que leen los alumnos y sus logros en lectura (Allington, 2001). Teniendo en cuenta esto, ya no podemos confiar solamente en una visita semanal o quincenal a la biblioteca de la escuela para apoyar el aprendizaje de la lecto-escritura.

A medida que lean este libro, les animamos a pensar en una biblioteca de aula como centro de la enseñanza eficaz. Los docentes que han desarrollado sus propias bibliotecas de aula son capaces no solo de usar medios impresos y electrónicos para sostener su proyecto áulico y los intereses de los alumnos, también están mejor capacitados en la selección de materiales para incluir en la biblioteca del aula. Esto significa, a su vez, que los alumnos tienen mayor acceso a una variedad de materiales narrativos y expositivos para leer con otros y solos.

El lugar de una biblioteca de aula en un programa equilibrado de lectura

En un programa de lectura equilibrado, los maestros cada día les leen *a* los niños. Como mostramos en el Capítulo 3, ellos hacen esto para mostrarle a los niños cuán expresiva y fluida puede ser la lectura en voz alta. Lo hacen para exponer a los niños a la amplia variedad de materiales de lectura disponibles tanto para el lector ávido como para el menos dispuesto. Y lo hacen para ayudar a los niños a conectarse con emociones, eventos e información que se halla en los libros, y de ese modo estimularlos para que hagan de la lectura una parte de sus vidas.

En un programa de lectura equilibrado, como veremos en el Capítulo 4, los maestros cada día leen *con* sus alumnos. Lo hacen para guiar, formar y dirigir el desarrollo de estrategias y habilidades de lectura eficaces en sus alumnos. Lo hacen para mostrarle a los niños como mantener su progreso en la lectura y ampliar su pensamiento con los libros.

Lo hacen para modelizar ante sus alumnos cómo leen los escritores, cómo se usan técnicas artesanales de lectura tales como desarrollar la voz de un autor. Y lo hacen para crear un sentido de comunidad en el aula por el hecho de compartir el libro, ya sea con toda la clase o con un grupo reducido.

En un programa de lectura equilibrado, los maestros cada día crean las condiciones y proveen el tiempo para que los niños lean solos. Como explica el Capítulo 5, lo hacen porque entienden que los niños aprenden lectura leyendo. Lo hacen porque saben que para convertirse en un lector de por vida, los niños necesitan sentirse a gusto eligiendo sus propios libros. Lo hacen porque los alumnos necesitan gran cantidad de tiempo a diario dedicado a la lectura para llegar a ser buenos lectores.

En la página siguiente hay un cuadro que contiene los elementos clave de un programa exitoso de enseñanza de lectura. Tengan presente ese cuadro mientras lean el resto del libro. Considérenlo un plan del libro y traten de completar la columna de la derecha con ideas adicionales a medida que lean los capítulos subsiguientes.

Elementos de un programa equilibrado de lectura y escritura y su relación con la biblioteca de aula

Un programa equilibrado de lecto-escritura significa:	La biblioteca de aula sostiene y extiende estas metas a través de:
Leer y escribir A los niños	❖ Lecturas en voz alta ❖ Libros de muchos géneros y niveles ❖ Espacio cómodo para sentarse ❖ _____
Leer y escribir CON los niños	❖ Modelización ❖ Conversaciones sobre libros ❖ Entrevistas personales ❖ Lectura guiada ❖ _____
Que los niños lean y escriban por sí mismos	❖ Gran colección de materiales diversos ❖ Escritos originales de los niños ubicados junto con los libros publicados ❖ _____
Crear y mantener un aula literaria enriquecida	❖ Charlas sobre libros y "estrenos" ❖ Teatro de lectores ❖ Tareas asignadas a los alumnos como "bibliotecario de clase" ❖ Reseñas de libros e informes exhibidos ❖ _____
Enseñar habilidades integradas, intencionales y explícitas	❖ Mini-lecciones sobre habilidades relevantes usando libros de la biblioteca ❖ Libros que pueden ser usados para destacar habilidades enseñadas recientemente ❖ _____
Conectar la escuela y el hogar eficazmente	❖ Libros leídos en casa relatados en láminas ❖ Padres voluntarios involucrados
Evaluar el aprendizaje de la lectura	❖ Ubicación estratégica del maestro que le permita observar las competencias lectoras ❖ Conferencias de lectura maestro-alumno ❖ _____
Ofrecer un diseño curricular de gran alcance y bien secuenciado	❖ Centro de aprendizaje de contenidos curriculares transversales ❖ Extensión educativa del programa de lectura ❖ _____
Usar una variedad de estrategias de grupo	❖ Libros por niveles ❖ Textos agrupados ❖ Lugar propicio para los que terminan rápido sus tareas y los que se sienten temporalmente abrumados ❖ _____
Realizar adecuaciones curriculares para los alumnos con necesidades especiales	❖ Libros por niveles ❖ _____
Proveer a los estudiantes con una variedad de textos de lectura y materiales de escritura	❖ El "hogar" de los textos amigables ❖ Lugar para pedir nuevos libros, hacer nóminas con los mejores libros, publicidad de libros ❖ _____

Cinco funciones esenciales de la biblioteca de aula

Si se piensa en una biblioteca de aula como un espacio acogedor y amistoso donde los alumnos pueden leer silenciosamente o explorar a través de una rica colección de textos, se está en lo cierto sólo parcialmente. El hecho de que las bibliotecas de aula son lugares de almacenamiento y de quietud es solo una parte de su propósito. Son, en el sentido más amplio, la columna vertebral de la actividad de la clase. Mucho de lo que acontece cada día se desprende o sucede alrededor de los recursos o el espacio de la biblioteca de aula. A nuestro entender, hay al menos cinco funciones importantes de una biblioteca de aula eficazmente diseñada.

Una buena biblioteca de aula ayuda a los alumnos a encontrar los libros fácilmente y les brinda espacio para estar cómodos

1. Apoya la enseñanza de la lectura

La primera función de una biblioteca de aula es apoyar la enseñanza de la lectura y la escritura, dentro de la escuela y fuera de ella. Para este fin es necesario equipar la biblioteca de aula con libros y otros materiales gráficos que apoyan el aprendizaje de los alumnos por tratar contenidos cotidianos de todas las áreas curriculares. Hay que incluir material relacionado con Ciencias Naturales, Matemática, Historia, Economía, Geografía, Música, Plástica, Teatro, Danza, Idiomas, Gramática, Ortografía, Literatura, Computación y otros. Hay que construir una colección adecuada de materiales de ficción y no ficción con la variedad necesaria de niveles que se adecue a los muchos intereses y habilidades de los alumnos que deseen llevarse libros para leer en sus casas (Ver en el Capítulo 2 una sugerencia específica para establecer un sistema de préstamos que también motiva a los lectores).

Una abundante colección tanto de ficción como de no ficción satisface intereses variados de los alumnos

2. Ayuda a los alumnos a aprender sobre los libros

Luego, una biblioteca de aula eficaz provee un lugar para que los maestros enseñen y para que los niños aprendan sobre los libros y la selección de libros. Aquí los niños pueden experimentar con una variedad de géneros literarios y otros materiales de lectura en un entorno menor y más controlado que en la biblioteca de la escuela o en una biblioteca pública.

También se puede usar la biblioteca de aula para enseñarles a los alumnos a cuidar los libros. Se puede establecer un área de reparación de libros para enseñarles cómo arreglarlos y colocar una lámina con instrucciones claras sobre cómo pegar páginas rasgadas, quitar marcas de los libros, cubrir puntas raídas, o reparar encuadernaciones rotas. También se puede usar la biblioteca de aula para enseñarles a los alumnos estrategias eficaces de selección de materiales de lectura relevantes, interesantes y apropiados. Como expresa la frase que aparece abajo (Timion, 1992), muchos alumnos no tienen estrategias flexibles y adecuadas para elegir material de lectura apropiado. En realidad, para que los alumnos sepan que uno ha entendido que se enfrentan a un desafío, se puede colocar en la biblioteca un cartel como el siguiente:

"Elegir un libro es la parte más difícil de aprender a leer".
...Pero cuando ya sé cómo hacerlo, ¡puedo encontrar el libro correcto!"

Este aprendizaje estratégico puede extenderse y aplicarse a la biblioteca de la escuela o a la pública, mostrándoles a los alumnos cómo encontrar libros de interés en esos montajes más grandes. Y, muy importante también, uno puede ayudarlos a navegar en Internet para hallar información sobre un libro en particular o sobre selecciones de material de lectura. Provee una ubicación central para el material didáctico.

3. Provee una ubicación central para el material didáctico

La biblioteca de aula también puede usarse como un depósito central ordenado de material didáctico. Allí hay espacio adicional para acomodar el equipo de Ciencias, los reproductores de casetes y CDs, los reproductores de videos y DVDs, juegos, revistas, y otro material de apoyo al aprendizaje. En este aspecto, la biblioteca de aula refleja los medios disponibles, a nivel individual y a nivel de distrito.

4. Provee oportunidades para la lectura independiente y para desarrollar contenidos extra-curriculares

La cuarta función importante de la biblioteca de aula, es la de ser fuente y espacio para la lectura independiente, la exploración personal, los proyectos de investigación, y la evaluación individual. Todo programa intensivo de lectura adecuado les brinda diariamente a los alumnos un tiempo de lectura autónoma. La biblioteca de aula es la fuente habitual que apoya la lectura diaria independiente de libros seleccionados por los mismos alumnos y que satisface sus intereses recreativos personales. La biblioteca de aula también les brinda materiales impresos de fácil acceso y medios para llevar a cabo investigaciones o completar proyectos extra-curriculares.

Además, una biblioteca dentro de la clase ofrece un espacio para que los alumnos puedan leer en voz alta y discutir tranquilamente sobre algún libro, bajo la observación del maestro. Esto brinda una oportunidad ideal para que el maestro evalúe informalmente cómo lee cada alumno, lo cual le ayudará a planificar la enseñanza personalizada.

5. Sirve de lugar de debate e interacción sobre los libros

La biblioteca de aula eficaz también funciona como punto de encuentro para que los alumnos y maestros puedan expresar sus vivencias como lectores. Puede pensarse como un lugar que hace los libros atractivos, que promueve la lectura. Debería ser un lugar al cual los alumnos se desviviesen por ir. Aquí pueden hablar sobre las impresiones que les causan los libros, escribir una crítica literaria y compartirla con sus pares o dibujar una lámina para promocionar su libro favorito. Algunas otras ideas aparecen a continuación:

❁ La biblioteca del aula puede ser un lugar donde los alumnos tienen la posibilidad de promocionar el intercambio de libros con otros alumnos.

❁ Puede ser un sitio donde los alumnos planeen la dramatización de un libro con un pequeño grupo de compañeros.

Los alumnos promocionan los libros que les gustaría intercambiar.

❖ Puede ser un lugar donde los alumnos contribuyan a armar una lista de "Libros más elegidos de la semana en [—]grado"

Los 10 más elegidos de 1° Esta semana: 10-14 de Octubre
Clifford va al hospital
Si le das un panqueque a una cerdita
Un caso grave de rayas
Cuando Sofía se enoja, se enoja de veras
La Oruga muy hambrienta
Dinositos: que llueva, que llueva
Cómo dan las buenas noches los dinosaurios
El elefante tiene hipo
Gus y botón
Un beso en mi mano

Los 10 más elegidos de 4° Esta semana: 20-24 de Octubre
Amelia Bedelia
Los seis ciegos y el elefante
Aminomorphs: el visitante
Esteban el plano
El capitán Calzoncillos
Tiburones: descubre y explora
El autobús mágico
La casa que Jack construyó
Invisibles y Cía.
Junie B. Jones

La dramatización de libros atrapa a los lectores

Para lograr que los lectores vivencien un libro y que no solo lean las palabras, se puede incorporar dramatización creativa y teatro leído en las rutinas de la biblioteca de aula. Para cada una de estas actividades, la biblioteca de aula brinda tanto un escenario para ensayar y actuar, como un punto central de almacenamiento para los mismos libros.

El teatro leído estimula a los niños a leer en voz alta con expresión, comprensión y fluidez, y a calzarse los zapatos de uno de los personajes. Para un material fácil y rápido de teatro leído conviene buscar libros de imágenes con abundante acción, humor, personajes y narración. Las lecturas fáciles poseen capítulos cortos y concisos que frecuentemente son perfectos para fotocopiar y repartir entre los grupos de lectores para que representen su papel en voz alta. Se puede escribir un guión o hacer que los mismos alumnos lo escriban.

Ideas propuestas por Judy Freeman, consultora de literatura infantil, columnista de Book Talk para la revista *Instructor*, y autora de *More books Kids will Sit Still For* (Bowker/Greenwood, 1995).

Planificando la biblioteca de aula

Las bibliotecas de aula suelen tener diferentes formas y tamaños. Nuestras experiencias planificando una biblioteca de aula eficaz, así como las de otras personas (Fractor, Woodruff, Martínez, y Teale, 1993) revelan al menos tres factores principales a considerar: 1) la naturaleza de la colección; 2) el tamaño de la colección; y 3) cómo se usa la colección para manifestar respuestas ante la lectura.

Determinar la naturaleza de la colección

Mientras se planifica la biblioteca de aula, hay que recordar que estará alentando e invitando a alumnos de muy diferentes habilidades a comprometerse con la lectura de textos variados, tanto narrativos como explicativos (Burke, 2000; Informe del Panel Nacional de Lectura del National Institute of Health, 2000; Allington, 2001). Cada tipo textual requiere que el lector use diferentes estrategias de abordaje. Los textos explicativos requieren que los alumnos vinculen y organicen los hechos, así como un análisis crítico de la información. Los textos narrativos invitan al alumno a conectarse con experiencias personales e identificarse con los personajes del libro. Como los alumnos deberían leer tipos textuales variados, hemos desarrollado la lista de la derecha con materiales de lectura diversos para que se considere su inclusión en una biblioteca de aula.

Las bibliotecas de aula también deberían albergar una colección de textos graduados, tanto narrativos como explicativos, para satisfacer las necesidades educativas de los alumnos. Se necesita disponer de una cantidad suficiente de libros interesantes por niveles para lograr el equilibrio entre los desafíos del texto y los intereses y necesidades de cada alumno (Ohlhausen y Jepsen, 1992).

Categorías recomendadas de materiales de lectura para la biblioteca de aula

- Libros de texto, incluso los libros de lectura básicos de la clase
- Computadoras con páginas web marcadas, incluso aquellas de archivos nacionales, de la biblioteca del Congreso, y otras fuentes de referencia esenciales
- Historias y cuentos, por ejemplo, cuentos de hadas, cuentos folclóricos y biografías
- Libros de imágenes con figuras que hagan pensar y reproducciones de obras de arte
- Tests, acertijos y hojas en blanco para entrenamiento
- Materiales de lectura varios, como revistas populares, diarios, catálogos, libros de recetas, enciclopedias, tarjetas de saludo, mapas, guías telefónicas, informes, fotos instantáneas, láminas, agendas, y cartas
- Libros de chistes, historietas, palabras cruzadas, y otros
- Ensayos, editoriales y críticas
- Libros e historias escritas por los alumnos

Equilibrio entre el desafío del texto y los intereses de cada uno.

Establecer la medida de la colección

La medida de la colección depende de los medios económicos disponibles en la escuela y de la creatividad y energía que el docente ponga en esa tarea. Muy a menudo, la organización de una biblioteca de aula eficaz requiere un plan de varios años. Un curso rara vez es suficiente para equipar de inmediato una biblioteca de aula adecuadmente.

Además, la medida de la colección varía de acuerdo con sus funciones dentro y fuera del aula, según se haya determinado en el plan. Si por ejemplo, la biblioteca de aula existe principalmente o exclusivamente para satisfacer las elecciones de los alumnos en su lectura independiente, entonces la colección puede incluir 10 o 12 títulos por alumno (Veatch, 1968; Neuman, 2000). Esto significa que si un maestro tiene 30 niños en su aula, una biblioteca adecuada para lectura independiente puede tener entre 300 y 350 títulos. Por otro lado, si el maestro trata de usar la biblioteca de aula para apoyar los contenidos transversales, para lectura hogareña, lectura guiada, lectura compartida, lectura en voz alta, y su propio desarrollo profesional, la medida de la colección de la biblioteca de aula puede alcanzar de 1.500 a 2.000 títulos, incluyendo varios ejemplares repetidos de algunos títulos.

Distribución recomendada para una colección de 300 a 375 títulos

- ❀ Colección de poesía: 3-5 títulos
- ❀ Libros por niveles:120-140 títulos
- ❀ Libros informativos: 40-50 títulos
- ❀ Libros premiados: 30-40 títulos
- ❀ Libros de referencia como diccionarios (5-10) enciclopedias en CD-room (1-2 discos) y atlas (1-2)
- ❀ Diarios (1-2 suscripciones), revistas (1-3 suscripciones), libros de recetas (1-3) y catálogos (3-4)
- ❀ Series de libros: 3-4 series
- ❀ Obras de teatro, sátiras: 1-3 títulos
- ❀ Otros: 90-110 títulos

Usar la colección para manifestar respuestas ante la lectura

La biblioteca de aula bien planeada no solo alberga material de lectura, también incluye oportunidades de llevar a cabo devoluciones o reacciones ante la lectura. Lo pensamos como un espacio para proveer y explicar una variedad de opciones de respuesta, incluyendo la escritura, el dibujo, y la dramatización: un lugar especial en el aula que ofrece a los alumnos opciones de cómo expresar sus respuestas ante un libro.

Habiendo dicho esto, también queremos señalar que la medida del espacio conjunto de aula y biblioteca determinará cuánto de actividad de respuesta real puede llevarse a cabo dentro de la biblioteca de aula misma (Ver la próxima sección para más información sobre cómo organizar mejor el espacio destinado a la biblioteca). Para mantener una atmósfera conducente a la lectura, puede haber ocasiones en las que se necesite tener a los alumnos produciendo y creando en otro sitio. De cualquier manera, la biblioteca debe ser vista como el punto central del salón para generación de ideas de respuesta a la lectura y para la coordinación y el almacenamiento de los insumos que posibilitarán esas respuestas.

Primero, repasemos los insumos necesarios. A la derecha aparece una lista de insumos sugeridos — material de escritura, de arte, y otras clases de materiales manipulables— para una biblioteca de aula eficaz que apoye la respuesta a la lectura.

Un conjunto de disfraces simples y objetos de utilería hace más divertidas las dramatizaciones

Insumos recomendados para una biblioteca de aula efectiva

- ❀ Tarjetas con recetas de cocina
- ❀ Figuras variadas
- ❀ Artículos de escritorio
- ❀ Cajas de cartón
- ❀ Tarjetas en blanco
- ❀ Carpetas archivadoras
- ❀ Lapiceras, lápices y marcadores
- ❀ Notas autoadhesivas
- ❀ Sobres de varias medidas
- ❀ Rótulos con el domicilio
- ❀ Ficheros
- ❀ Papeles de medidas surtidas
- ❀ Chinches o imanes de pizarra
- ❀ Figuras autoadhesivas
- ❀ Tarjetas de saludo
- ❀ Estampillas y almohadillas
- ❀ Bolsas de papel
- ❀ Formularios comerciales
- ❀ Cartulina y papel afiche
- ❀ Goma de pegar, hilo, ganchos, abrochadora
- ❀ Títeres
- ❀ Retazos de tela
- ❀ Disfraces simples y objetos de utilería
- ❀ Grabador de casetes

Para que este aspecto de la biblioteca de aula sea verdaderamente exitoso y que los alumnos adviertan la gran variedad de devoluciones posibles, se puede diseñar una lámina como Menú de respuestas a la lectura, como el que se muestra a continuación, para ayudar a los alumnos a pensar sobre ello y seleccionar el método apropiado de compartir con los demás su reacción ante un libro o texto.

MENÚ DE RESPUESTAS A LA LECTURA

Dibujar o ilustrar
Dibujar un mapa basado en la escena de la historia.
Dibujar un aviso de "Buscado" para un personaje de la historia.
Recrear la historia en una historieta o tira.
Diseñar una cubierta para la historia o el libro.
Hacer un cuadro comparativo de varios trabajos de un autor.
Hacer una línea de tiempo ilustrada o un mapa de la historia.
Diseñar un señalador que aliente a otros a leer el libro.

Construir
Hacer un títere de uno de los personajes.
Construir un modelo de una parte favorita de la historia.
Construir un móvil con los personajes de la historia.
Construir un crucigrama.
Hacer un libro de imágenes de la historia.
Diseñar máscaras de los personajes para una dramatización.

Escribir
Escribir un poema sobre la historia.
Escribir una carta a un amigo sobre la historia.
Escribir una carta al autor o editor con comentarios sobre el libro.
Rescribir el libro o la historia como obra de teatro, radio teatro, o comercial de televisión.
Escribir un nuevo final para el libro o la historia.
Escribir un anuncio para el libro o la historia.
Escribir una carta imaginaria a uno de los personajes.

Dramatizar
Actuar la historia usando disfraces y objetos de utilería.
Actuar la historia como diálogos de teatro leído.
Actuar la historia como obra de títeres.
Grabar en video un comercial de televisión para la historia.
Cantar canciones que involucren a los personajes o partes de la historia.
Grabar en video una entrevista periodística con uno de los personajes.

Cuando uno ya está familiarizado con la lógica de la biblioteca de aula y los propósitos, funciones y planificación que la caracterizan, la siguiente pregunta sería: ¿Cómo debe verse una biblioteca de aula eficaz? Tenemos algunas ideas al respecto.

Apariencia de una biblioteca de aula eficaz: organización y distribución

Organizarla para ayudar a cumplir metas fundamentales

Ante todo, el espacio del aula destinado a la biblioteca debe estar organizado para favorecer la comodidad en las interacciones de los alumnos con los libros y con otros materiales educativos o de utilería almacenados o dispuestos allí. Esto significa que los maestros deben organizar la biblioteca teniendo presente que sea amigable para los usuarios. Lo que se exhibe debe invitar a tocar, tomar, examinar, leer, escribir y hablar. Carteles con instrucciones deben orientar a los alumnos para descubrir qué hacer, cómo hacerlo, dónde hacerlo, y cuándo hacerlo. La falta de éstos puede llevar a confusiones.

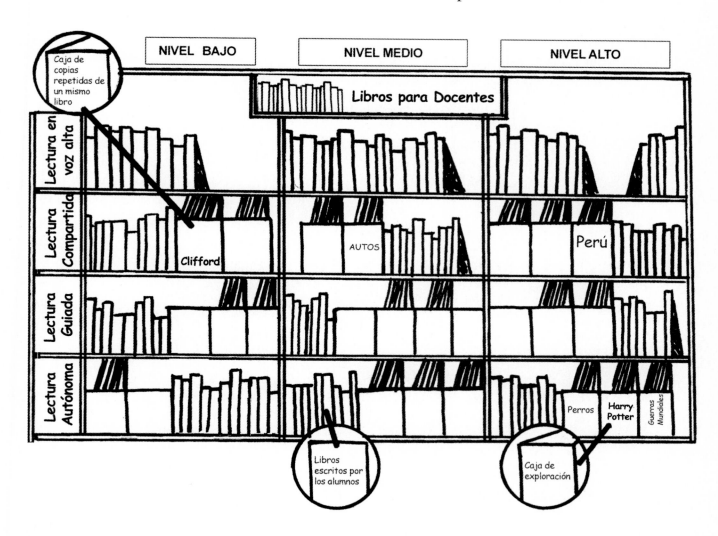

La biblioteca de aula también necesita estar organizada para que los alumnos no tengan que sufrir ni por "sobrecarga de exploración" ni por la falta de habilidad para mantener el orden y la apariencia de la zona. Esto significa que la biblioteca necesita estar organizada para aportar pautas de acceso al nivel adecuado y a los diferentes tipos de materiales.

Se obtienen muchos beneficios de organizar cuidadosamente el espacio físico. Hacerlo así puede ayudar a los alumnos en todas las interacciones fundamentales que a uno le gustaría que ocurran en la biblioteca de aula. Pueden obtenerse algunas ideas de las tres fotos de esta página. Las fortalezas de cada una han sido destacadas especialmente.

"Canastos de exploración" para libros por niveles

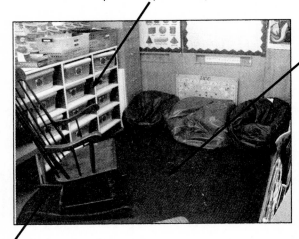

Biblioteca situada en un rincón lejos del flujo de circulación

Gran área de exhibición para láminas, reseñas de libros, avisos de canje de libros, y otros

Silla del maestro para lectura en voz alta en lugar central

Gran cartelera para exponer las producciones de los alumnos

Muchos libros a la vista y organizados por tema y nivel

Lugar de lectura cómodo

Libros exhibidos con las tapas hacia fuera (en un exhibidor de libros)

Mesa para lectura guiada y mini-lecciones en grupo pequeño

Otros criterios y prácticas para organizar la biblioteca de aula

Aquí hay criterios adicionales y prácticas recomendadas para crear y organizar una biblioteca de aula efectiva.

- ❀ Destinar un espacio de al menos 3 metros por 2 metros y medio en el aula para la biblioteca; esto puede parecer excesivo para aulas superpobladas, pero dadas las múltiples funciones que cumple la biblioteca, semejante distribución del espacio es mínima.

- ❀ Situarla lejos de las actividades centrales, y en cierta manera ruidosas, y de la circulación de la clase.

- ❀ Albergar colecciones de libros más pequeñas o "sucursales" de la biblioteca del aula en centros de aprendizaje ubicados en áreas más activas del salón.

- ❀ Proveer la biblioteca de aula con una gran variedad de materiales de lectura.

- ❀ Planificar el espacio de manera que los alumnos estén protegidos de elementos distractores, pero de manera que el maestro pueda visualizar el área desde cualquier ubicación del salón.

- ❀ Exhibir los materiales de la biblioteca para atraer la curiosidad de los alumnos, alentarlos a que hagan aportes, y registrar sus producciones. ¡Ser intuitivo! Aquí hay un ejemplo de una invitación a una "presentación de libro":

¡Venga uno! ¡Vengan todos!

Acompáñenme a la presentación de la novela Harry Potter y el prisionero de Azkaban

HORARIO: 14 horas
LUGAR: la biblioteca del aula.
DIA: jueves.

¡Vengan preparados! ¡Traigan objetos de utilería! ¡Pónganse un sombrero (o capucha o máscara...)! Si ya leyeron el libro, prepárense para hablar de su escena favorita. Si no lo hicieron, prepárense para escuchar por qué deberían leerlo. ¡Y prometemos no revelar el final!
¡Venga uno! ¡Vengan todos!

- ❀ Acomodar los libros y otros materiales de manera que sean tentadores y de fácil acceso.

- ❀ Disponer los estantes de manera que satisfagan las necesidades educativas y los intereses de los alumnos así como también las limitaciones del tamaño corporal de los niños.

Exhibidores que muestran los materiales claramente y que están bien organizados ayudan a los alumnos a encontrar el libro correcto

❖ Organizar muestras sobre distintos temas y ubicarlas en un exhibidor móvil.

❖ Reservar materiales y exhibir un menú de opciones para devoluciones o manifestaciones a partir de la lectura.

Poner los libros grandes — en la parte superior de la estantería.

Colocar los lápices — de regreso en las latas.

Poner las historias de los alumnos — en el estante inferior

❖ Rotular los estantes para ayudar a los alumnos a guardar los libros y distribuir los materiales ordenadamente. Para los niños más pequeños, pueden hacerse rótulos con figuras o íconos hechos en computadora y palabras para ayudarlos en la tarea de rotulado (ver el cuadro de la derecha) y láminas con instrucciones en lenguaje "ideográfico" (lenguaje que contiene figuras que aparecen en forma intermitente en lugar de algunas palabras; se usa para bajar el umbral de habilidad lectora y facilitar la lectura de instrucciones).

❖ Colocar las copias de un mismo título juntas con un solo rótulo para ayudar a mantener el orden y la armonía en el momento de la selección. Los libros grandes pueden ser exhibidos y almacenados de diferentes maneras, como se muestra en el capítulo 4.

Los libros para lectura independiente están distribuidos por nivel en "canastos de exploración."

- Distribuir los libros para lectura independiente de los alumnos por nivel en "cajas de exploración" (como se ve en la foto) para agilizar el proceso de selección de libros y asegurar una correspondencia apropiada entre nivel del alumno y demanda del texto.

- Rotular el material didáctico o los útiles para ayudar a los alumnos a retornarlos a su lugar. Para los niños más pequeños, pueden generarse rótulos que contengan íconos, como figuras de lápices, marcadores, crayones, hojas de papel y abrochadoras, junto con las palabras para mostrar dónde deben guardarse luego de usarse.

Aun la biblioteca de aula mejor planificada no funcionará correctamente a menos que se instale un sistema de limpieza y mantenimiento de los materiales almacenados y expuestos en ella. Una forma de hacerlo más fácilmente es explicar por completo las reglas anticipadamente en una mini—lección. Luego puede colocarse una lista como la siguiente, en un lugar prominente:

Cómo mantener nuestra biblioteca de aula ordenada y prolija:

Regresen los libros al estante al que pertenecen.

Acomoden las sillas y mesas para que se vean igual que como las encontraron.

Rebobinen las cintas y devuélvanlas a sus cajas.

Apaguen el reproductor de casetes.

Regresen los libros grandes a sus lugares.

Registren los libros que entran o salen con el bibliotecario del aula.

Cierren los programas de computación que usen.

Apaguen la computadora si son el último grupo del día.

Queremos remarcar que las bibliotecas de aula eficaces no surgen espontánea ni incidentalmente sino que son el resultado de una reflexión profunda y cuidadosa, y de la planificación y organización. Entender esto nos ha ayudado a nosotros y a muchos maestros con los que hemos trabajado a renovar nuestra apreciación sobre el diseño de bibliotecas funcionales y efectivas, eje central del aprendizaje de la lecto-escritura.

Una vez que la biblioteca está diseñada, equipada con los insumos adecuados, y lista para los alumnos, comienza el trabajo verdadero. Montar una biblioteca es solo el comienzo: optimizar el uso de este recurso está totalmente ligado a una educación cuidadosamente planificada, un buen manejo de la clase, y la enseñanza sistemática de estrategias de selección de libros. En el próximo capítulo, compartimos resultados de investigaciones sobre la comprensión del comportamiento de los alumnos en la selección y mostramos cómo enseñarles estrategias eficaces de selección de libros.

Capítulo 2

Cómo ayudar a los niños a seleccionar libros adecuadamente

ELEGIR / DESCARTAR

Tomé un libro

Pero ella dijo que tenía

Demasiado largas las oraciones,

Demasiado profundo el contenido,

Demasiado difícil el vocabulario,

Demasiado alto

En el estante de quinto grado

Como para que lo comprenda un

alumno de tercero

Tomé otro libro

Pero ella dijo que tenía

Demasiado cortas las oraciones,

Demasiado poco profundo el

contenido

Demasiado fácil el vocabulario

Demasiado bajo

En el estante de primer grado

Como para que lo disfrute un

alumno de tercero

No elegí más libros

Porque causaban

Demasiados problemas,

Demasiado a menudo

Como para que los lea este alumno de tercero

Lynette Tandu, Fort Worth, Texas

Cuando los niños ingresan a una biblioteca, habitualmente experimentan algo denominado "sobrecarga de exploración" (Baker, 1986). Esto significa que el gran número de materiales en la biblioteca puede producir en los estudiantes una sensación de confusión, como el sentirse extranjero en una tierra extraña. Para ayudar a desarrollar en los niños una sensación de bienestar en la biblioteca, y para potenciar en ellos la habilidad para efectuar una selección adecuada de libros, es esencial que el docente comprenda cómo los niños desarrollan ese proceso de elección de libros. Deberá conocer cómo los estudiantes se transforman en lectores selectivos. Debe ser conciente acerca de cómo los estudiantes se dan cuenta de lo que un libro les ofrece y cómo estiman que un libro concuerda con sus habilidades para la lectura y con sus intereses.

El éxito en la calidad y comprensión de un programa de lectura depende fundamentalmente del conocimiento y competencia del docente (Darling-Hammond, 1997). Todas las clases deben recorrer los amplios saberes previos de los niños y sus experiencias literarias. Algunos han tenido importantes experiencias con sus padres, hermanos y con otras personas que ya les han modelado el proceso de lectura; otros han tenido acceso a una amplia variedad de libros y materiales de lectura; e incluso otros han tenido escasas o nulas oportunidades para experimentar el proceso de lectura o para manipular libros u otro tipo de materiales impresos.

Teniendo en cuenta esto, hay que esforzarse en formar una rica colección de materiales de lectura al alcance de todos los niños y adecuado a las necesidades de cada uno. Y para que los materiales se correspondan con las necesidades de los alumnos, hay que tratar de estar alerta ante los siguientes conjuntos de nociones interrelacionadas, cada una de las cuales es esencial para una enseñanza eficaz:

- Conocimiento del proceso de lectura de los alumnos.
- Conocimiento de los niveles y grados de desafío que hay en los textos.
- Conocimiento del proceso de lectura y la evolución de los niños como lectores.

Agregamos a esta lista que un maestro debe conocer los hábitos, intereses, conducta ante la elección de libros y estrategias de sus alumnos.

En la primera mitad de este capítulo, discutimos acerca de qué deben hacer los niños para elegir libros. También analizamos los factores que influyen sobre los niños en la selección de los libros y cómo las bibliotecas pueden diseñarse y organizarse en consideración a estas estrategias. En la segunda parte del capítulo, presentamos una serie de pequeñas lecciones para demostrar que usted puede diseñar estrategias efectivas e instruir a los alumnos en las formas apropiadas de elegir libros.

Qué hacen los niños cuando eligen libros

Los niños de primero, tercero y quinto grado con habilidades de lectura superiores a la media, iguales a la media y debajo de la misma, fueron observados en un reciente estudio durante la selección de libros (Reutzel y Gali, 1998). Las observaciones fueron hechas durante las visitas semanales de los alumnos a bibliotecas escolares. Los hallazgos de la investigación se centraron en cómo los niños ubicaban libros en la biblioteca de la escuela; cómo hacían un muestreo de la biblioteca escolar; qué factores limitaban sus elecciones de libros durante el lapso que permanecieron en la biblioteca; y las razones que dieron para su elección o rechazo de un libro. Además, los investigadores determinaron las estrategias de selección de libros y el proceso empleado por cada niño observado. El estudio arrojó una serie de reglas sobre la forma en que los alumnos eligen libros y buscó las diferencias que indicaron mayor o menor grado de sofisticación en sus aproximaciones. Sintetizamos dichas reglas más abajo.

Los alumnos, típicamente, comienzan la selección de libros ya sea dirigiéndose a una ubicación determinada de antemano en la biblioteca o simplemente explorando donde quiera que estén ubicados ellos. Examinan los títulos de los libros, si están ubicados en los estantes con el lomo o con la tapa hacia fuera. En caso de que busquen libros que están con el lomo hacia fuera, los alumnos generalmente inclinan su cabeza, tocan los lomos con las yemas de sus dedos (señalando los títulos) y leen el título impreso en el lomo. Luego, después de retirar el libro del estante o de donde estuviera exhibido, los alumnos a menudo examinan la cubierta. Aparentemente, la manipulación del libro es una parte importante de la selección. Una vez que lo tienen en sus manos, los alumnos abren el libro y se involucran en una de estas cuatro conductas modelo: 1)hojear las páginas; 2) leer fragmentos seleccionados; 3) mirar las ilustraciones o diagramas; y/o 4) mirar páginas seleccionadas del libro. Después de hacer esto, los alumnos emiten un juicio sobre si quieren quedárselo o devolverlo.

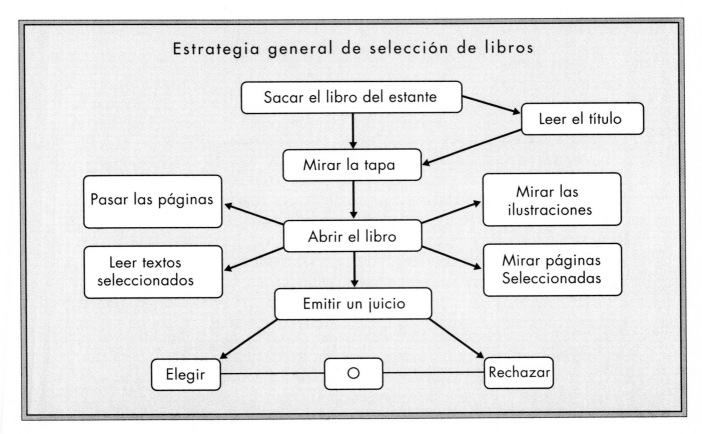

Estrategia general de selección de libros

Sacar el libro del estante → Leer el título → Mirar la tapa → Abrir el libro → Pasar las páginas / Leer textos seleccionados / Mirar las ilustraciones / Mirar páginas Seleccionadas → Emitir un juicio → Elegir ○ Rechazar

Aunque muchos niños siguen este conjunto de conductas de rutina al seleccionar los libros, hubo unos pocos niños observados en el estudio que exhibieron comportamientos particulares o únicos. Un niño confió en características físicas específicas determinadas, como tipografía grande, un limitado número de páginas y muchas ilustraciones; para este niño, el tema no era tan importante como la medida y las características tipográficas. Otro niño, de quinto grado, tuvo una interesante peculiaridad en la selección de libros. Después de seguir la rutina general de selección, fue acopiando varios libros en una mesa de la biblioteca hasta que obtuvo una pila de seis o siete de los cuales elegir. Luego, cerca del fin de la hora de biblioteca, él se sentó con su montón de libros y los volteó al derecho con el lomo hacia fuera para someterlos a una selección. Después de esto, examinó cada libro con mayor profundidad hojeando unas pocas páginas de cada uno. Finalmente, eligió dos de los seis o siete para llevarse. La estrategia de selección de Hugo fue una de las más sofisticadas llevadas a cabo en situaciones de exploración desmedida, observadas entre los niños estudiados.

Conductas de los alumnos como "compradores" de libros
❋ Compradores Impulsivos
❋ Clientes Criteriosos
❋ Compradores Sociales
❋ Clientes Decididos
❋ Compradores Indecisos

Cuatro estrategias de selección de libros

Basados en su estudio de 1998 y otras investigaciones, Reutzel y Gali (1996, 1998) tomaron terminología referida a las conductas de los consumidores para crear varias categorías de selección de libros de los niños. Surgieron los siguientes tipos de "compradores" de libros:

Los **Compradores Impulsivos** son aquellos alumnos que se dejan influenciar fácilmente por lo que se expone. Ellos tienden a elegir los libros de la biblioteca que se exhiben con la tapa hacia arriba más que los que se muestran con el lomo hacia arriba. Estos alumnos tienden a dedicar muy poco o ningún tiempo a explorar la biblioteca, en general atrapan impulsivamente cualquier libro en exhibición para llevarse.

Los **Clientes Criteriosos** son los alumnos informados. Son los que saben qué libros son populares para otros. Saben cuáles son los libros más vendidos, los recomendados por el maestro, y los que están en los catálogos de bibliotecas públicas o escolares. Ellos hacen una exploración comparativa entre los libros recomendados y luego eligen entre ellos, después de haber leído partes seleccionadas de cada uno.

Los **Compradores Sociales** hacen de la selección de libros un evento social. Estos alumnos viajan a través de la biblioteca en un pequeño grupo. Extraen los libros de los estantes y discuten sobre ellos. Este tipo de alumno le pregunta a otro integrante del grupo si ha leído o no algún libro en particular y frecuentemente discuten entre ellos los contenidos y otros aspectos del libro. Estos alumnos resultan estar muy influenciados por los comentarios de sus pares en la elección de un libro.

Los **Clientes Decididos** vienen a la biblioteca con un libro específico o un tema en mente. Estos alumnos muy a menudo saben qué libros quieren leer. Pueden haber oído su lectura en voz alta por parte del maestro o bibliotecario, o pueden tener otros temas pensados. Ellos van directamente a la ubicación de la biblioteca donde se exhiben o se guardan los libros sobre ese tema, y se quedan allí hasta que hacen la selección, cuya lectura comienza de inmediato.

Finalmente, hay una multitud de *Compradores Indecisos*. Estos alumnos a menudo seleccionan libros en grupos de pares pero también pueden explorar solos. Ellos pasan todo el tiempo destinado a la selección de libros explorando. Generalmente no eligen un libro hasta que se está por acabar el tiempo, y entonces hacen una elección impulsiva. Estos alumnos muy a menudo no quedan satisfechos con el libro elegido y quieren volver atrás y cambiarlo por otro. El tiempo permitido para la selección parece ser usado en forma precaria.

Hay un número de razones bien definidas para estos diferentes estilos. A continuación hacemos una consideración sobre algunos factores que subyacen detrás de las opciones.

Factores que influyen en la selección de libros

Aunque los niños han seleccionado sus libros por muchos años en las aulas, las bibliotecas escolares y las públicas, hasta 1990 se llevaron a cabo muy pocos estudios para saber cómo, por qué, cuándo, dónde o qué influye en las elecciones de los niños. Uno de los estudios más recientes en las conductas de selección de libros de los niños descubrió cuatro factores esenciales: el género, el estilo literario, el tamaño de la tipografía y las ilustraciones (King, 1967). Pero esta fue una de las escasas fuentes de información, y para empeorar las cosas, se emprendieron muy pocas investigaciones para averiguar cómo eran entrenados los niños para seleccionar libros (Hiebert, Mervar y Person, 1990; Hancock, 1988; Baker, 1986).

Algunas cosas han estado claras por un tiempo. Por ejemplo, las diferencias de género han estado constantemente al descubierto durante las últimas décadas (Fischer, 1988; Donovan, Smolkin y Lomax, 2000).

En un estudio de Kay Mervar (1989), se les dio a alumnos de segundo grado un grupo de cinco libros pre-seleccionados y se les pidió que eligieran uno y justificaran su elección. Las observaciones de la conducta de los niños en la selección de libros bajo estas circunstancias no arrojaron diferencias entre los niños que aprendían a leer mediante una enseñanza de base bibliográfica y aquellos que aprendían mediante un programa de enseñanza de la lectura más básico y tradicional. Pero había una diferencia notable: cuando se les pedía a los alumnos que explicaran por qué elegían un libro, los de clases basadas en literatura podían ofrecer respuestas más elaboradas que los de programas tradicionales de lectura.

En otro estudio (Timion, 1992), una maestra de segundo grado investigó las estrategias de selección de libros en un proyecto de investigación de un año. Instituyó un programa de lectura en el que se usaban como textos educativos libros cualesquiera más que libros de lectura básicos. Cuando se usaba el libro de lectura básico, se hacía como antología, con obras básicas seleccionadas de distintas partes, más que seguir el orden lineal de lectura, de adelante hacia atrás, como es la costumbre. También leía en voz alta diariamente. Cuando no podía leer un libro entero en voz alta, daba una charla sobre el libro para atraer el interés de los alumnos. A medida que avanzó el año, comenzó a llevar a cabo conferencias individuales con alumnos para evaluar el progreso de sus habilidades lectoras y para estudiar sus intereses y hábitos de lectura.

También aumentó la lectura diaria de textos relacionados, seleccionados de la biblioteca del aula. Los alumnos leían tanto en pareja como individualmente. Como los alumnos usaban cada vez más los libros de la biblioteca del aula, Timion (1992) dijo, "los alumnos leían y reemplazaban libros en la biblioteca del aula diariamente, y cuando el otoño se tornó en invierno, organizar todos los libros en la biblioteca del aula se estaba transformando en un verdadero problema."

Después del receso de invierno, se agregó a la rutina de la clase un programa de incentivo de la lectura, y se envió a los padres un cuestionario preguntando por qué los niños seleccionaban algunos libros en particular. Las respuestas de los padres sobre sus observaciones revelaron que los niños de segundo grado elegían libros según cuatro razones principales: 1) ya habían leído los libros con anterioridad; 2) los libros estaban en la biblioteca de la casa; 3) el autor era su favorito; y 4) el libro estaba en la biblioteca del aula. Un par de meses después, Timion (1992) notó que esas razones por las cuales los niños seleccionaban libros se habían extendido hasta casi diez. Estas razones reflejaban más sofisticación a medida que la habilidad y capacidad de los alumnos aumentaban. Para fin de año, la razón dada con más frecuencia era "puedo leerlo".

> ### Motivaciones para elegir un libro (alumnos de 1º, 3º y 5º grados)
>
> - Valor personal percibido
> - Características físicas
> - Tema o tópico: relaciones entre libros
> - Preferencia de género
> - Preferencia de autor
> - Recomendaciones personales
> - Conocimiento del personaje
> - Libros exhibidos y libros leídos en voz alta por los maestros

El estudio de Reutzel y Gali (1998) sobre las estrategias infantiles de selección de libros reveló la información más extensa relacionada con los factores que influyen en las elecciones. Las motivaciones para elegir un libro entre los alumnos de 1º, 3º y 5º grados, tanto con una habilidad de lectura media, como superior e inferior a la media, incluían factores que se citan en la lista de la derecha, por orden de prioridad.

Las tres primeras prioridades de la lista —valoración personal, características físicas y relaciones temáticas— influyeron en el 76% de las elecciones de libros de los alumnos.

Valoración personal

Los alumnos elegían con más frecuencia la valoración personal como criterio de selección de libros, usando frases como: "Este parece un buen libro". O algún alumno podría decir: "Creo que este libro será divertido". Los alumnos a menudo elegían un libro basándose en un valor percibido como primera impresión. En realidad, el valor percibido reflejaba el propósito del alumno para leer ese libro. Si el alumno se aproximaba a la lectura desde una posición estética, un deseo de experiencia emocional o recreativa al leer (Rosenblatt, 1978), luego expresaba habitualmente expectativa ante la experiencia que iba a obtener a través de la lectura seleccionada de ficción y narrativa. Si, por otro lado, un alumno se estaba aproximando a la lectura desde un punto de vista "eferente" o un deseo de aprender o incorporar información (Rosenblatt, 1978), entonces mencionaba un tema abarcativo y elegía libros expositivos y de no ficción.

Características físicas

Las característica físicas de los libros también jugaron su rol en las selecciones bibliográficas infantiles. Los niños parecían estar muy alertas ante la extensión y dificultad de cada libro a juzgar por el número de páginas, la cantidad de ilustraciones y el tamaño de la tipografía. Para algunos niños, parece haber un prestigio social asociado a elegir libros "gordos" con pocas imágenes y una fuente tipográfica pequeña. Otros niños se sienten cómodos eligiendo libros fáciles, usando el criterio opuesto, un libro "delgado" con muchas ilustraciones y letra más grande.

Tópicos o temas

Las selecciones bibliográficas de los alumnos estaban influenciadas por tópicos o temas enseñados en clase. Por ejemplo, si estaban estudiando electromagnetismo en la clase de Ciencias, entonces a menudo seleccionaban libros sobre ese tema.

Los alumnos con frecuencia hablaban de haber "leído otros libros como éste" como una razón para seleccionar determinado libro. A veces esto significaba que habían leído libros de género parecido —por ejemplo, otra biografía, cuentos de hadas, etcétera. Otras veces, esto implicaba que habían leído libros sobre un tema parecido. Pero estaba claro que hacer "conexiones inter-textuales", como lo describe Hartman (1995), fue un hilo conductor en la selección bibliográfica infantil.

Preferencia de género y de autor

El género también fue una clara influencia en las conductas de selección de libros de los alumnos. Ellos manifestaban que les gustaba leer autobiografías, informes periodísticos y de ficción, pero las series parecían ser el género más atractivo. Esta influencia en la selección bibliográfica infantil aparentaba estar motivada por el grupo de libros y por el conocimiento del

Compartir, discutir y recomendar libros son ayudas importantes en la selección de libros para algunos alumnos.

autor y del/ de los personaje(s) de la serie. Los libros de una serie eran bastante populares entre los niños y las niñas de grados intermedios.

Recomendaciones personales

Las recomendaciones personales sobre un libro o una serie de libros de parte de otros niños, un bibliotecario, los padres y el maestro también fueron motivadoras en la selección de libros. Esto era así especialmente entre aquellos niños que se aproximaban a la elección de un libro como "compradores sociales", requiriendo prioritariamente la intervención y la aprobación de sus pares en la selección. Compartir, discutir y recomendar libros era, claramente, algo importante para muchos niños pequeños en la selección de libros para lectura independiente o para aprender sobre un tema específico.

Conocimientos del personaje

Algunos alumnos hablaban de búsqueda y selección de libros sobre sus personajes favoritos. Los niños mayores expresaban su apego al personaje Harry Potter y querían encontrar y llevarse libros sobre él. El conocimiento personal de un personaje de un libro con frecuencia motivaba la selección de otros libros sobre él.

Libros exhibidos y lecturas en voz alta

Los libros expuestos tenían mayor probabilidad de ser elegidos. Los alumnos a menudo inspeccionaban libros "desparramados" en la biblioteca, en el escritorio del bibliotecario y sobre las mesas, con las tapas claramente visibles. En realidad, esos libros tenían doble chance de ser tomados e inspeccionados, desde la "prueba salteada" hasta la lectura parcial. En forma muy semejante a lo que ocurre en las liquidaciones de fin de temporada y ventas de ocasión, los libros exhibidos atraían la 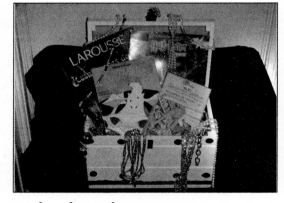 atención de los alumnos mucho más que los que estaban colocados en los estantes mostrando solamente el lomo.

Además de la exhibición de ciertos libros, también un maestro o bibliotecario ejercía una fuerte influencia en las elecciones de los alumnos leyendo un libro en voz alta. El maestro o bibliotecario no sólo leía en voz alta, sino que frecuentemente explicaba o elogiaba la calidad, el contenido y el estilo de trabajo de un autor. De muchas maneras, estos individuos daban su "bendición" a los libros para la selección (Gambrell, 2001).

Es especialmente entrañable notar que un maestro puede ser tan influyente cuando se advierte lo arbitrario y hasta quijotesco de algunos otros factores enumerados arriba. Hay una razón adicional para que el rol docente sea clave: la guía que él o ella puede proveer a los lectores que están por debajo de la media.

Estos lectores a menudo eligen libros que son inadecuados para su nivel de lectura. Como los lectores por debajo de la media eran en general varones, los libros seleccionados eran más que nada textos informativos no ficcionales con una pesada carga conceptual.

Tanto por su propósito como por su supuesto prestigio, los lectores por debajo de la media parecían acercarse a la selección bibliográfica con una orientación pragmática, el propósito de la cual era obtener información y aprender, no disfrutar.

Como era de esperar, los lectores por encima de la media parecían seleccionar libros más apropiados a su nivel de lectura (Donovan, Smolkin y Lomas, 2000). Sus propósitos para la lectura eran a menudo la guía para elegir un libro fácil o uno difícil, uno de ficción o de no ficción. Si el libro era para goce, habitualmente elegían un texto de narrativa familiar y sencilla. Si él era para aprendizaje, elegían textos informativos desconocidos y complejos.

En síntesis, los lectores por encima de la media tendían a ser mucho más estratégicos en los libros que seleccionaban.

Cómo arreglar la biblioteca del aula para guiar e influir en la selección de libros de los niños

Entender el comportamiento de los alumnos en la elección de libros y las condiciones del entorno que influyen en ellos naturalmente lleva a varias conclusiones sobre cómo debe arreglarse una biblioteca de aula para orientar mejor a los niños e informarlos en sus elecciones. Desde el espacio físico abarcado hasta el mobiliario y los exhibidores, la manera en que se establece la biblioteca sirve para ayudar a los alumnos o para inhibirlos en la tarea de elegir un libro para la lectura independiente.

Rotular estantes

Un rotulado claro de los estantes es muy útil. Es una buena idea colocar rótulos que indiquen la ubicación de los distintos géneros de los materiales de lectura. Para aquellos alumnos que buscan libros de no ficción o sobre temas específicos, es útil rotular los estantes u otras ubicaciones anotando el tema o la materia de los libros. Abajo se muestran ejemplos de categorías de rótulos que pueden ser colocados a lo largo de la biblioteca.

Ejemplos de rótulos, por categoría, para los estantes de la biblioteca del aula

Niveles de lectura: Nivel bajo | Nivel medio | Nivel alto

Temas generales: Ciencias | Historia | Geografía | Salud

Géneros: Cuentos de hadas | Cuentos folclóricos | Biografías | Obras de teatro | Poesía | Historietas

Temas: Insectos | Rocas | Historias de fantasmas | Exploradores | Las guerras mundiales

Los mejores libros: Los más elegidos | Favoritos de la clase | Recomendados por el maestro

---

Exponer indicaciones

Para brindarle a los niños un conocimiento global de la organización y distribución de la biblioteca del aula, se puede confeccionar un mapa y exhibirlo cerca de la entrada a la biblioteca.

Si hay determinados límites en el uso de la biblioteca o de ciertos recursos, un cuadro recordatorio como el que se muestra abajo puede ayudar a los alumnos a tener presentes los límites y las expectativas. Ese mismo dispositivo puede avisar a los alumnos dónde obtener ayuda para hallar libros, elegir libros y llevarse libros de la biblioteca del aula.

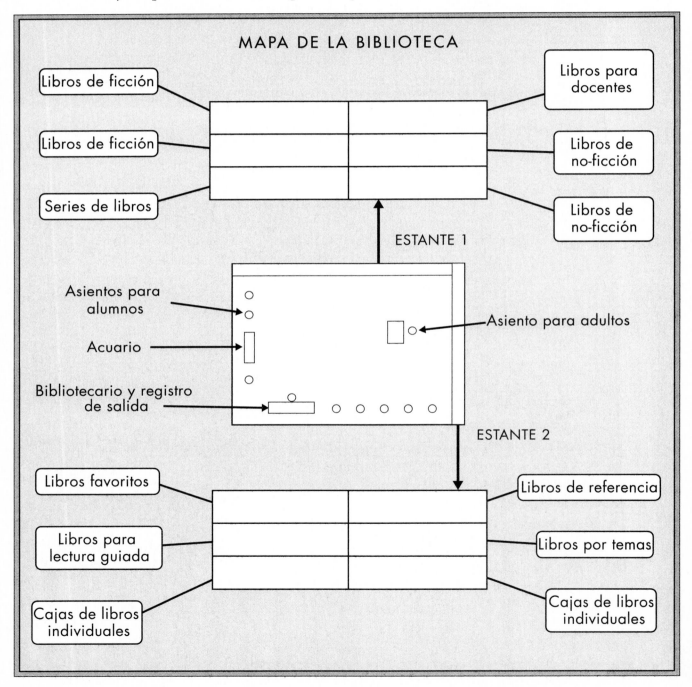

MAPA DE LA BIBLIOTECA

Libros de ficción

Libros de ficción

Series de libros

Libros para docentes

Libros de no-ficción

Libros de no-ficción

ESTANTE 1

Asientos para alumnos

Acuario

Bibliotecario y registro de salida

Asiento para adultos

ESTANTE 2

Libros favoritos

Libros para lectura guiada

Cajas de libros individuales

Libros de referencia

Libros por temas

Cajas de libros individuales

Cartel con reglamento de la biblioteca del aula

Pueden llevarse prestados como máximo dos libros a la vez.

Los libros se devuelven en una semana.

Los libros de las Cajas de Exploración solo pueden llevarse a casa durante la noche.

Los libros tomados en préstamo se devuelven a primera hora de la mañana.

No molesten al que está leyendo en silencio.

Por favor, hablen en voz muy baja en el espacio de la biblioteca.

Si necesitan ayuda, primero pregunten a un amigo o consulten en el mapa de la biblioteca.

Si aún así necesitan ayuda, pregunten al alumno bibliotecario.

Después de seguir estos pasos, pregunten al maestro u otro adulto colaborador.

Exhibir los libros con las tapas al frente

De los estudios mencionados anteriormente, se desprende claramente que la forma en que los libros se exhiben juega un rol importante en asistir a los alumnos en sus selecciones. Los libros que se muestran con la tapa hacia fuera tenían mucha mayor probabilidad de ser examinados y elegidos que los que estaban en los estantes. Hay muchas maneras de exhibir los libros. Algunos maestros han descubierto que cuando cierran algunos locales de venta minorista, hay estanterías de exhibición de tarjetas de saludo o exhibidores giratorios de alambre que pueden obtenerse gratis o a muy bajo costo. Esta idea y otras aparecen en la lista de abajo. Hay que recordar que al rodear a los niños con exhibidores se produce un entorno en el que los libros están siempre presentes y donde la selección se vuelve una actividad natural.

Exhibidores giratorios de alambre, que pueden hallarse a muy bajo o ningún costo, proveen una forma accesible de mostrar los libros.

Ideas para exhibir libros

- ✵ En exhibidores giratorios de alambre
- ✵ Sobre mesas y estantes
- ✵ En alféizares
- ✵ En canastas de libros en diferentes lugares del salón
- ✵ En canaletas de desagüe plásticas fijas debajo de carteleras, a lo largo de alféizares y cruzando las estanterías

Usar carteles y pizarras

Se pueden colocar otros carteles en la biblioteca para ayudar a los alumnos a seleccionar apropiadamente los libros. Se puede, por ejemplo, mostrar un resumen como el que se observa más abajo con las razones principales para elegir un libro. Esto puede recordarles todas las posibilidades.

O los alumnos pueden confeccionar carteles publicitando sus libros favoritos. Una muestra de críticas y comentarios infantiles de libros escritos con marcador al agua en una pizarra blanca, puede guiar las selecciones bibliográficas de los alumnos. Los niños no solo disfrutan al leer las críticas y recomendaciones sino que también disfrutan colocando sus propias ideas en esa pizarra. Hemos descubierto que la oportunidad de contribuir con esa pizarra motiva a los niños a leer libros. Las elecciones de los niños y otras listas de los más leídos (ver capítulo 1, página 14) pueden exponerse en carteles; plastificar esos carteles o usar marcadores al agua permite borrar y actualizar en forma rápida y fácil.

¿Cómo eligen sus libros los lectores?

Hojeando el libro, ¿de qué trata?

Por las ilustraciones

Por la tapa

Por un autor favorito

Por un personaje favorito (o series)

Por un tema preferido o interesante

Leyendo la solapa interna o información de la contratapa

Porque es un libro favorito o conocido

Porque es el libro correcto

Diane Mines, maestra de primer grado, Dutch Neck School, Princeton Junction.

Usar rota-folios mostrando conexiones entre libros

Una forma efectiva de promover el incipiente sentido de los niños sobre las relaciones entre libros con estructura o contenido similar es involucrar a la clase en la creación de un organizador gráfico intertextual. Esta clase de carteles no solo informa a los niños sobre otros libros similares sino que también los alienta a hacer su propio aporte. Puede comenzarse con una gran plantilla. Hay que asegurarse de dejar las primeras páginas del rota-folios en blanco para una tabla de contenidos (que se irá gestando a medida que se crea el organizador gráfico). A cada organizador gráfico hay que darle su propia página dentro del bloque de folios. Pueden completarse los primeros cuadros comparativos con toda la clase. Luego, los alumnos pueden usar la plantilla para buscar libros que han sido incluidos en la colección, completar información faltante en algún organizador propio en particular, o eventualmente ellos mismos insertar un organizador gráfico para un grupo de libros . Todos los libros usados para esta actividad deben estar disponibles en la biblioteca del aula.

El siguiente es un ejemplo de un organizador gráfico intertextual que requiere el aporte de los alumnos para ser completado.

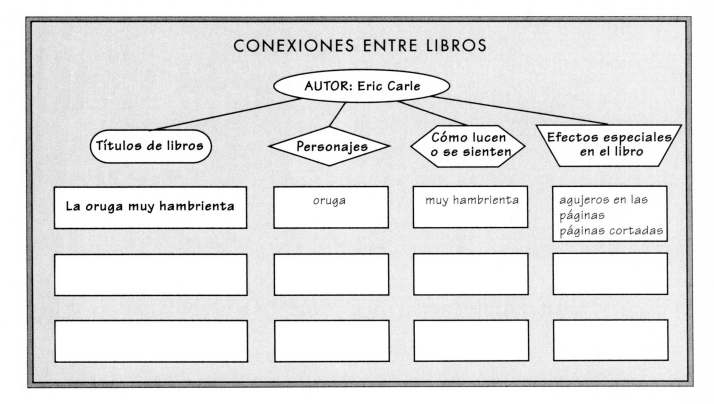

CONEXIONES ENTRE LIBROS

AUTOR: Eric Carle

Títulos de libros	Personajes	Cómo lucen o se sienten	Efectos especiales en el libro
La oruga muy hambrienta	oruga	muy hambrienta	agujeros en las páginas páginas cortadas

Organizar libros lógicamente

También se puede colaborar con la selección bibliográfica de los alumnos agrupando la colección por intereses, autores, temas, series, personajes, género o niveles de lectura. Invitar periódicamente a los alumnos a completar encuestas sobre la lectura y los intereses es un paso hacia la comprensión de sus necesidades e intereses. Un ejemplo de este tipo de encuestas aparece en el capítulo 5.

Las canastas conteniendo libros del mismo autor, sobre el mismo personaje, del mismo nivel de lectura, o sobre el mismo tema ayudan a los alumnos a seleccionar libros más adecuadamente. Reservar sectores de estantes para colecciones de material de referencia o libros de niveles diversos ayuda a los alumnos a saber dónde buscar los libros que les interesan o que les resultan un desafío.

Las canastas con libros agrupados por autor o por temas relacionados ayudan a los alumnos a seleccionar libros.

Disponer los libros al nivel visual de los niños

En más de un sentido, es importante que los alumnos seleccionen libros de su nivel. ¡También de su nivel visual! Cada vez que sea posible, los libros colocados en estantes y expuestos deben estar a la altura de la visual de los niños o por debajo de ella. Los libros ubicados por encima de ese nivel tienen poca probabilidad de ser tomados o seleccionados (Reutzel y Gali, 1998). Hay que tratar de organizar las colecciones de libros de propósito similar o del mismo tipo en forma horizontal más que vertical. Los estantes que están ubicados a más de 25 cm por encima de los ojos de los alumnos son preferentemente para almacenar libros que el maestro intenta reservar para lecturas en voz alta, lecturas compartidas o guiadas.

Los libros colocados en estantes o expuestos están mejor ubicados a la altura de la visual de los niños o por debajo de ella.

Cómo brindar a los niños estrategias adecuadas de selección de libros

Cuando los niños entran al sector de la biblioteca del aula sin guía ni preparación, están desbordados de preguntas. ¿Dónde miro? ¿Cómo sé lo que quiero? ¿Quién puede ayudarme si no encuentro lo que quiero? ¿Cómo sé si este libro es adecuado para mí? ¿Cuando termino de leer un libro, qué debo hacer? ¿Cómo me preparo para leer un libro? ¿Qué ocurre si el libro que quiero ha sido prestado a otro niño? Como han mostrado las investigaciones de Timion (1992), para algunos, si no para muchos, la parte más difícil de la lectura es la selección del libro y parece que los alumnos necesitan la guía y las instrucciones del maestro para optimizar su selección bibliográfica y sus estrategias de lectura.

A continuación ofrecemos un grupo de actividades altamente motivadoras para la selección de libros. Después, luego de una breve consideración sobre la importancia de hacer adaptaciones para asegurarse el acceso equitativo de todos los alumnos, ofrecemos varias lecciones de selección de libros y estrategias de lectura que pueden utilizarse para ayudar a los alumnos a encontrar el libro correcto. Las lecciones están secuenciadas para ayudarlos a desarrollar una aproximación estratégica global a la selección de libros. En primer lugar, los alumnos necesitan conocer la disposición geográfica de la biblioteca. En segundo término, es importante hablar sobre los libros como una manera de que se familiaricen con los contenidos de la biblioteca. En tercer lugar, es práctico mostrar mediante una modelización qué estrategias usar para ubicar y elegir un libro.

Finalmente, luego de encontrar un libro, los alumnos necesitan saber cómo determinar si el libro elegido es apropiado para su nivel de lectura.

ACTIVIDADES MOTIVADORAS PARA LA SELECCIÓN DE LIBROS

1. **Libros en préstamo:** Un sistema de préstamo para libros de la biblioteca del aula puede ser realmente motivador. En el interior de la contratapa de los libros, se puede adosar una tarjeta de 7,5 cm por 15 cm en forma horizontal, a manera de bolsillo. Dentro de este bolsillo se coloca otra tarjeta o ficha para que los alumnos registren los préstamos. Los alumnos deben sacar la ficha y firmarla y colocarla en una caja destinada a ese fin. Este sistema resulta un registro continuo de qué alumno en qué año leyó determinado libro. La mayoría de los alumnos están muy interesados en descubrir quién leyó el libro antes que ellos. Si descubren que la ficha está firmada por un hermano, amigo o conocido, es muy probable que estén realmente motivados a leer el libro.*

2. **Críticas de libros:** Después de que los niños leen un libro que les encantó en la biblioteca del aula, pueden pedir un formulario llamado "Crítica del libro", que los habilita a escribir una carta a un futuro lector. Pueden usar la crítica para dar algunas pistas que ayuden a entender la historia o las razones para leerla, o para describir reacciones o sentimientos que experimentaron. La crítica del libro se pliega y se coloca dentro del libro. Debe sobresalir de la parte superior del libro lo suficiente como para atraer la mirada de futuros lectores y tentarlos a leerla. Si no leen otra cosa, ¡al menos leerán las críticas! En general, a los alumnos les encanta este sistema y promueve la lectura.*

3. **Lecturas recomendadas:** Los alumnos no tienen que hacer siempre una crítica completa. En lugar de ello, pueden hacer un cartelito autoadhesivo de "lectura recomendada". Cuando terminan de leer un libro de la biblioteca que les gustaría recomendar, pueden tomar un cartelito de un canasto de la biblioteca, y anotar el título y el autor del libro, junto con su propio nombre. Luego deben pegar el cartel en el sitio destinado al género correspondiente en una cartelera de cartón dividida en géneros. Hay que alentar a los alumnos a que consulten esta cartelera con frecuencia; pueden tomar ideas sobre qué leer de esta manera.*

4. **Ponerse en los zapatos de otro lector:** Se agrupan los alumnos de a dos y se les dice que ese día se transformarán en lectores de mentes. Por cinco minutos tienen que conversar con el otro niño sobre la clase de libros que les gusta leer y sus intereses en general.

---

* Ideas de Jean Turner, maestra de cuarto grado, Mt. Loafer Elementary School, Salem, UT

Luego deben ir a los estantes y tomar un libro que crean que a su compañero le encantará, teniendo en cuenta lo que éste acaba de revelarles sobre sus gustos y preferencias. Al volver a sus asientos, con el libro en la mano, tienen que describirle al otro qué eligieron y por qué creen que a su compañero le encantará. Los niños pueden optar entre leer el libro recomendado y seleccionado para ellos, o no.**

Asegurar el acceso equitativo para todos los alumnos

Los niños con necesidades especiales requieren adaptaciones de la biblioteca del aula para asegurar que tengan iguales posibilidades de acceso al conocimiento, a las estrategias y a los materiales. Los maestros de las aulas inclusivas, donde se han integrado niños con capacidades especiales al contexto de enseñanza tradicional, necesitan estar alertas y preparados para dar lugar a las necesidades particulares de todos los alumnos. Si el maestro no está al tanto de cómo manejar este asunto, como primera medida, debe consultar a los especialistas del área de educación especial de su distrito.

Para los alumnos con disfunciones auditivas, es útil anotar indicaciones y reglas en letra de imprenta, escribiéndolas sin colores llamativos ni tipografía muy ornamental.

Si algún alumno conoce el Lenguaje de Signos, se pueden colocar los carteles con indicaciones, reglamentos y guías usando símbolos e íconos de este lenguaje. Puede ser necesario aprender, al menos algunas expresiones en este lenguaje o solicitar la ayuda de alguien entrenado. También puede ser necesario rescribir planes de clase en palabras simples si algún niño con disfunción auditiva tiene habilidades mínimas de lectura.

Para los alumnos con disfunciones visuales, se necesita tener las reglas, indicaciones, rótulos de estantes y una colección especial de libros impresos en una tipografía más grande o incluso en Braille. También pueden conseguirse libros en CD-ROM o en casetes para ayudar a los alumnos con dificultades visuales. Además, se puede escoger un guía o compañero que ayude a ese alumno a hacer selecciones adecuadas del material adaptado disponible en la biblioteca del aula.

Para los niños con limitaciones motoras, los maestros deben facilitar el acceso a libros adecuados quitando los obstáculos que pueda haber alrededor o frente a las estanterías. Se pueden colocar los libros para hojear en canastos plásticos, en estantes más bajos o en mesas para hacerlos más accesibles. Los alumnos que no estén en condiciones de sostener o manipular libros pueden utilizar un dispositivo especial que se coloca en la cabeza para operar con teclados o pantallas sensibles al tacto en computadoras. Estos alumnos necesitan libros en software u otro formato tecnológico.

Como parte de la estructura, diseño y plano de la biblioteca de aula así como las lecciones sobre su uso, se necesitan hacer arreglos y adaptaciones adecuadas para asegurar el acceso equitativo de los alumnos. Recomendamos tener en cuenta las consideraciones anteriores y consultar otras fuentes sobre educación especial para obtener ideas específicas sobre la clase de adaptaciones que pueden requerirse.

** Idea de Judy Freeman, consultora de literatura infantil, columnista de Book Talk para la revista *Instructor*, y autora del libro *More Books Kids will Sit Still For* (Bowker/Greenwood, 1995)

Conocer bien la biblioteca

Comprender el contexto para esta lección

Para evitar una sobrecarga de exploración superficial y facilitar la selección de libros, los maestros necesitan explicar en profundidad a los niños cómo está organizada y cómo funciona la biblioteca del aula. Los alumnos necesitan una orientación previa al uso y periódica durante el año escolar, si el maestro desea mantener el uso satisfactorio y óptimo de la biblioteca de aula.

Mini-lección modelo

TEMA DE LA CLASE: *Orientar a los alumnos en la biblioteca del aula*

Objetivos: Ayudar a los alumnos a localizar libros y otros materiales impresos que promueven el desarrollo de la lectura y el aprendizaje en general, en forma satisfactoria, fácil y rápida.

Recursos necesarios: Marcadores al agua, tres pizarras grandes, papel afiche, rótulos de diferentes medidas, computadora e impresora para imprimir los rótulos, puntero, chinches y cinta autoadhesiva.

Modelizar e instruir:

Reglas, conductas y límites

Sentar a los niños cómodamente en el espacio de la biblioteca de manera que puedan ver la estantería y los rótulos fijados en ella. Hablarles sobre lo que se llevará a cabo en la biblioteca. Las tareas y objetivos pueden ir desde curiosear en búsqueda de un buen libro para leer, hasta encontrar un libro sobre un tema específico para completar un informe escrito de Ciencias. Involucrar a los niños y animarlos a aportar sus propias ideas mientras se bosquejan reglas que hagan de la biblioteca de aula un lugar ordenado y provechoso. Explicar que, una vez que el borrador esté completo, se colocarán carteles en la biblioteca sobre las conductas de los alumnos aceptables y no aceptables, como referencia para la autodisciplina. Por ejemplo, los alumnos podrían preguntar cuántos libros pueden llevarse de la biblioteca en un mismo momento y cuánto tiempo pueden tenerlos. Esto debe ser incorporado a las reglas. Otros ítem pueden referirse al tiempo que puede permanecer por día un alumno en la biblioteca o a las condiciones que rigen su uso (por ejemplo, luego de finalizar la tarea asignada o de completar otras tareas de clase).

Organización

Preparar un mapa de la biblioteca del aula (como el de la página 34) para colgar de la pared indicando la ubicación y organización del material de lectura. Comenzar señalando el mapa y diciéndole a los alumnos que pueden consultarlo si se olvidan cómo está organizada la biblioteca. Con los niños más pequeños, hay que usar dibujos e íconos acompañando el texto o el rótulo. Relacionar el mapa con el mobiliario, las áreas, estantes y rótulos reales señalando cada uno mientras se lo discute.

Luego de haber desarrollado las reglas de uso y las conductas y haber mostrado los signos orientadores y los rótulos, formular preguntas hipotéticas, tales como: "Si quisiera encontrar un libro para lectura independiente, ¿dónde lo busco?" O preguntar, "Si quisiera estar seguro de que puedo leer un libro, ¿cómo saber dónde mirar?" Invitar a unos pocos niños a pensar en voz alta cómo contestarían estas y otras preguntas. Asegurarse de preguntarles si tienen otras preguntas que les gustaría que les contesten, luego finalizar la lección con una revisión rápida del mapa y la organización.

Monitorear el progreso: Observar el comportamiento de dos niños por día en el uso de los carteles sobre organización, reglas y conductas hasta que cada niño en la clase haya sido observado. Con esto puede determinarse la comprensión de cada niño en el uso de la biblioteca del aula.

Charlas sobre libros

Comprender el contexto para esta lección

Una charla sobre un libro es un lapso que se aparta simplemente para conversar sobre un libro que los alumnos pueden haber leído o no; es una manera de que los maestros, los padres y los pares puedan compartir sus sentimientos, opiniones y recomendaciones. Una charla sobre un libro intenta modelizar la charla de sobremesa sobre un libro que alguien de la familia haya leído. El objetivo principal aquí es ampliar el conocimiento de los alumnos sobre libros interesantes disponibles en la biblioteca. Mantener una charla sobre un libro es una práctica tan valiosa que puede llevarse a cabo, al menos, una vez al día e, incluso, varias veces en el día.

Esta práctica es especialmente importante para niños de grados intermedios, ya que muchos de los libros adecuados para ese nivel de lectura no pueden ser leídos en voz alta en un solo encuentro, como los que se comparten en los primeros años. Como consecuencia, los niños de grados intermedios que han logrado cierta competencia lectora y fluidez, conocen menos libros que pudieran leer que cuando eran menores. Los maestros que han usado este abordaje diariamente han observado dos resultados sorprendentes pero bienvenidos: 1) los libros sobre los que se han llevado a cabo charlas son los primeros que se solicitan en préstamo; y 2) las charlas sobre libros aumentan la cantidad de material que los alumnos eligen para leer en la escuela o llevarse.

Una variación de la charla sobre un libro es la "venta del libro". Cualquier alumno que esté motivado a compartir un libro puede armar una "venta del libro" y presentarla a un pequeño grupo de alumnos o a toda la clase. Los pasos para la "venta del libro" están delineados en este cartel, que puede usarse como modelo y montar uno similar en la biblioteca del aula.

Cómo hacer una "venta de libro"

Decir quién es el autor del libro.

Contar algo sobre la historia. ¿Es graciosa? ¿Es triste?

¿Es emocionante? Decir algo sobre lo que ocurre.

Decir algo "especial" sobre la historia. Mostrar una ilustración favorita o una parte.

¿Es recomendable? ¿Por qué?

RECORDAR: Cualquiera puede hacer una "venta de libro". Puede hacerse para cualquier clase de libro que uno haya leído. ¡Cualquier libro que haya sido GENIAL puede usarse!

Diane Mines, maestra de primer grado, Dutch Neck School, Princeton Junction, NJ

LECCIÓN: *Dar una charla sobre* Harry Potter y el cáliz de fuego

Objetivo: Estimular el interés de los alumnos en leer este libro en particular de J. K. Rowling, así como comprometerlos a la lectura de los libros de la serie Harry Potter.

Recursos necesarios: Una o más copias del libro para compartir, mostrar y prestar.

Modelizar e instruir: Comenzar seleccionando un libro que uno haya leído o con el cual esté familiarizado (tal vez porque haya leído una crítica o se lo hayan recomendado).

Obtener, al menos, una copia del libro para exhibir y para lectura independiente en la biblioteca del aula. Si es un libro de ilustraciones y puede leerse en un solo encuentro, puede presentarse leyéndolo en voz alta a los alumnos. Sin embargo, si leerlo en voz alta requiere más de un encuentro y no es un libro que uno intente leer de punta a punta pero quisiera que los alumnos lo conozcan, entonces una charla sobre el libro es el camino correcto.

Luego, reunir a la clase, a un grupo pequeño o a un solo niño para compartir la charla. Mostrarles el libro mientras se lee el título en voz alta. Si es posible, decirle a los alumnos algo sobre la vida del autor, su estilo literario y sus intereses. Después de esta breve introducción al libro y a su autor, compartir elementos de la trama y el nudo de la historia. Una práctica habitual es decirles a los alumnos algo sobre el libro y luego leer en voz alta una parte de él donde se describa el "conflicto" de la historia, hasta dejarlos con la pregunta "¿qué pasará ahora?" Efectivamente, el objetivo de una charla sobre un libro es "enganchar" a los alumnos para que lean el libro dándoles apenas lo necesario para despertar su interés. Una vez que esto se ha completado, se coloca

el libro en exhibición para lectura independiente o préstamo.

A continuación hay un ejemplo de cómo podría ser una charla sobre el libro *Harry Potter y el cáliz de fuego:*

1. El maestro muestra la tapa del libro mientras lee el título en voz alta.

2. Lee la solapa posterior en voz alta y les informa a los alumnos sobre otros libros de la serie Harry Potter.

3. Les cuenta a los alumnos sobre la vida de J. K. Rowling y sobre cómo ella fue destituida y vivió en la pobreza cuando comenzó a escribir su primer libro de Harry Potter. Les relata el éxito posterior y el hecho de que estos libros son tan populares que han sido traducidos a muchos idiomas para que los lean los niños de todo el mundo.

4. Presenta los personajes y el escenario. Les cuenta sobre los interesantes amigos de Harry Potter, los Weasley, y su familia, los Dudley, y sobre su escolaridad en Hogwarts y su deseo de ser solo un niño normal de 14 años. Luego establece el conflicto del libro, dejándolos con la intriga de qué le sucederá a Harry, ya que él es cualquier cosa menos un niño "normal" de 14 años, aún a los ojos de un "brujo".

5. Coloca el/los libro/s en exhibición en la biblioteca del aula para que puedan ser leídos o tomados en préstamo.

Monitorear el progreso: Observar a los niños y al estante de exhibición durante el lapso de lectura independiente. Controlar si el libro ha sido pedido en préstamo o seleccionado para leerlo en clase.

Encontrar un libro para leer

Comprender el contexto para esta lección

Encontrar un libro para leer no es siempre fácil para los niños pequeños. Cada niño tiene diferentes intereses, propósitos, necesidades y habilidades. Ayudar a los niños a desarrollar un enfoque estratégico de la selección de libros requiere que los maestros y bibliotecarios piensen en voz alta, demuestren y revelen cómo llevan a cabo este proceso ellos mismos.

Mini-lección modelo

LECCIÓN: *Elegir un libro en la biblioteca del aula*

Objetivo: Estimular el interés en explorar la colección de libros y ayudar a los alumnos a aprender una estrategia general de selección e inclusive determinar un propósito para la lectura.

Recursos necesarios: Una rueda genérica (ver página 99) y un diagrama de flujo de selección bibliográfica (ver página 27).

Modelizar e instruir: Las investigaciones revelan que hay varias consideraciones que deben sopesarse cuidadosamente a la hora de preparar una lección para ayudar a los alumnos a desarrollar conductas estratégicas de selección bibliográfica.

Primero, los alumnos necesitan ayuda para determinar su propósito al elegir un libro, ¿están buscando un libro para leer por deleite, lo que Rosenblatt (1978) ha llamado una experiencia estética? ¿O están buscando un libro para informarse, lo que Rosenblatt ha llamado un propósito "eferente"?

Determinar esto es importante para enviar a los niños a explorar en lugares específicos dentro de la biblioteca.

Segundo, los alumnos necesitan asistencia para acotar sus propósitos a un tópico o género. Si están buscando una lectura o una historia para deleite, deberían estar pensando en varios géneros narrativos o de ficción, como ficción biográfica, de misterio, drama, cuentos chinos, cuentos de hadas y poesía. Si están buscando recopilar, clasificar, organizar o registrar información, entonces deben estar pensando en relaciones, contenidos curriculares o temas.

Si los alumnos no tienen un propósito en particular, la exploración será, probablemente, un poco a la deriva a menos que el maestro le de instrucciones precisas al respecto. Con esas instrucciones, la exploración puede ayudar a los alumnos a encontrar un libro que "atrape su curiosidad" o estimule su interés.

Para estos alumnos, una lección de estrategias de selección debe proveerles un marco de referencia que los ayude a acercarse a otros para obtener recomendaciones e ideas. Estos alumnos se beneficiarán de un acercamiento más social hacia la selección de libros. Podrían desear interrogar o entrevistar a sus amigos, hermanos, maestros, padres, o al bibliotecario, para que les recomienden libros; mirar rápidamente los materiales exhibidos; o usar una rueda genérica que los ayude a encontrar una variedad de materiales para seleccionar. Una vez que las variables de propósito e intereses han sido dirigidas, los alumnos necesitarán una guía para probar con algunos libros de los estantes, acotando sus opciones y haciendo una selección apropiada.

Estos son los pasos para modelizar el proceso:

1. El maestro muestra a los alumnos, pensando en voz alta, cómo determina su propósito al seleccionar un libro.

2. Modeliza el uso de la rueda genérica para estimular intereses.

3. Modeliza el uso de un listado de intereses para reunir recomendaciones e ideas para seleccionar libros.

4. Finalmente, muestra y modeliza la estrategia general de selección de libros expuesta en el diagrama de flujo poniendo en práctica, al menos, dos ejemplos de selección de libros.

Monitorear el progreso: Observar informalmente a los niños diariamente para controlar el uso de estas pautas de selección. Reforzar el uso de estas estrategias con los alumnos.

Mini-lección modelo

LECCIÓN: *Elegir el libro "indicado" o uno de nivel adecuado de la biblioteca del aula*

Objetivo: Ayudar a los alumnos a conocer la ubicación y la organización de los libros por niveles en la biblioteca del aula, así como también demostrarles el uso de una estrategia general de evaluación del nivel de dificultad de un libro.

Recursos necesarios: Cinta adhesiva de diferentes colores en los lomos de los libros que indique variedad de niveles de dificultad; estantes rotulados, como se indicó anteriormente, describiendo claramente los niveles (por ejemplo, bajo, medio, alto, o fácil, difícil, muy difícil); un afiche mostrando la estrategia "de los tres dedos" para determinar el nivel adecuado de los materiales de lectura.

Modelizar e instruir: En las escuelas de Nueva Zelanda, los libros llevan un trozo de cinta de tela color magenta en los lomos de los más fáciles, tanto en la biblioteca del aula como en la colección principal de material para lectura guiada de la escuela. Un esquema similar para identificar los niveles de los libros puede incorporarse al diseño de las bibliotecas de aula. Esto les permite a los alumnos saber inmediatamente si ciertos libros contienen la proporción correcta entre palabras conocidas y desconocidas para optimizar su lectura satisfactoria.

Otro enfoque es enseñarles la técnica "de los tres dedos" (Allington, 2001) para evaluar la adecuación de la dificultad de un libro antes de seleccionarlo. Este proceso consiste en leer una página cualquiera de muestra e ir colocando un dedo sobre cada palabra desconocida a medida que se lee. Si el niño ubica más de tres dedos sobre palabras desconocidas en cada página de muestra, entonces habrá más probabilidad de que el libro sea más difícil que lo deseable. Esto no significa que un libro deba ser descartado de inmediato como opción posible, pero si la lectura es por placer más que para obtener información, es probable que el alumno tenga que esforzarse más de lo que es habitual en la lectura considerada "placentera".

Este es un resumen de las dos pautas para ayudar a los alumnos a hacer elecciones "indicadas":

1. El maestro les muestra a los niños y les recuerda los rótulos exhibidos en la estantería de la biblioteca. Cada alumno debe saber qué nivel de materiales lee con más comodidad. (Aunque los alumnos deben comprender que todos comienzan leyendo libros para "principiantes" y éstos no deben evitarse.) Si se usa cinta de tela, los niños deberían conocer los niveles de los libros marcados por estar acostumbrados a partir de la lectura guiada a que se les muestre el "indicado" para la lectura óptima.

2. Luego, usando los pasos mencionados anteriormente, modeliza la técnica "de los tres dedos" para juzgar la proporción entre palabras conocidas y desconocidas en un posible libro seleccionado. Como recordatorio, también puede exhibir en la biblioteca del aula un afiche que ilustre los pasos de la técnica de los tres dedos.

Usando los niveles generales de dificultad indicados mediante rotulado de estantes, marcado de lomos y técnica de los tres dedos, los niños estarán en condiciones de hacer elecciones lo más satisfactorias posibles.

Monitorear el progreso: Observar informalmente a los niños diariamente para controlar el uso de estas pautas de selección. Reforzar el uso de estas estrategias con los alumnos.

Controlar el nivel de lectura

Comprender el contexto para esta lección

Muchos niños seleccionan libros que son o muy difíciles o demasiado fáciles para su nivel de desarrollo lector. Lo deseable es que lean libros con el nivel de desafío adecuado. Fountas y Pinnel, (1999) señalan que el libro "indicado" es el que contiene una proporción de alrededor del 90% de palabras conocidas y 10% de palabras desconocidas. El propósito de desarrollar esta lección es orientar a los alumnos hacia los estantes que contienen materiales del nivel adecuado en la biblioteca del aula, como así también modelizar ante ellos una técnica fácil de evaluación de la dificultad que puede ofrecerles un libro.

Los siguientes cuadros pueden dar algunas ideas de notas que pueden colocarse en la biblioteca. El primero muestra una variación de la técnica de los tres dedos; el segundo pretende ayudar a los alumnos a elegir libros con variado nivel de dificultad deliberadamente, dependiendo del objetivo que se persiga en el momento.

Cómo elegir el libro "indicado"

- Elige tu libro.
- Abre tu libro en el medio.
- Comienza a leer.
- Alza un dedo por cada palabra difícil.
- Si tienes que alzar también el pulgar, el libro es de nivel muy alto... elige otro.

Diane Mines, maestra de primer grado, Dutch Neck School, Princeton Junction, NJ

Cómo elegir un libro correcto

- LC Libro Correcto—Este libro tiene sentido. Puedo leer la mayoría de las palabras, pero no me aburro. Puedo exigir mi mente un poco, ¡pero no es un exprimidor de cerebros!
- LG Libro Golosina—Este libro es realmente fácil. Puedo anticipar todo lo que va a ocurrir. Puedo repetir la historia en detalle, es relajante y ¡es un buen libro clásico!
- LD Libro Desafío—Este libro tiene ideas nuevas. Es un poco difícil, ya que dos de cada cinco palabras de cada página son nuevas y necesito pensar mucho. Aprendí gran cantidad de cosas pero tuve que esforzarme bastante.

Diane Mines, maestra de primer grado, Dutch Neck School, Princeton Junction, NJ

CAPÍTULO 3

Cómo la biblioteca de aula respalda la lectura *a* los niños

Es momento de los favoritos de siempre y los niños de primer grado se reúnen sobre la alfombra al frente del salón. La señorita Gauna ha elegido tres de los libros preferidos de sus alumnos como posible lectura del día. Le dice a sus alumnos: "Hoy vamos a leer uno de sus libros favoritos. Tomé tres que realmente hemos disfrutado de la biblioteca del aula". Les presenta a los alumnos las tres opciones disponibles para la lectura en voz alta del día y ellos eligen uno.

Cuando termina la lectura, varios niños muestran cómo son capaces de recitar una palabra muy larga que es la pieza central del libro. José le pide a la señorita Gauna que lea la historia otra vez. La señorita Gauna le recuerda a José que ese libro está en la biblioteca del aula y que cuando visite la zona, en algún momento de lectura independiente o de escritura, podrá pedirle a un compañero de clase que se lo lea nuevamente.

Una maestra, como la señorita Gauna, que ha desarrollado y organizado una biblioteca muy funcional en su aula, está en una posición excelente para usar material impreso y electrónico para apoyar metas educativas y asistir el aprendizaje de los alumnos. Esta clase de salón provee una oportunidad real de llevar a cabo lecturas en voz alta bien pensadas. Con una biblioteca establecida y bien organizada en el aula como recurso, se puede desarrollar la intencionalidad en la selección del material que se lee a los niños. En los próximos capítulos exploraremos cómo una biblioteca de aula ayuda a los niños a acceder a material de lectura relevante para leer con otro o para sí. Pero en este capítulo nos centraremos en la utilidad de una biblioteca de aula para la lectura en voz alta.

En esta biblioteca las historias creadas por los alumnos se guardan en estantes debajo de los libros publicados.

La biblioteca en la clase provee una fuente ideal para que el maestro extraiga textos para leer en voz alta y para que el alumno pueda localizar fácilmente libros e historias que han sido leídas en voz alta. Además de apoyar los esfuerzos del maestro en su lectura en voz alta, la biblioteca de aula es un refugio para las historias escritas por los niños y un lugar cómodo para que esas historias sean leídas en voz alta por su autor.

La biblioteca de aula se convierte en la cantera de la cual, tanto maestros como alumnos, extraen muchas y preciosas gemas literarias.

Por qué leerles a los niños en voz alta como prioridad

Muchos maestros han valorado desde siempre la lectura en voz alta a los niños. No solo es una manera maravillosa de iniciarlos en el placer que se encuentra en los libros, sino que también es la estructura básica sobre la cual construir el éxito futuro del niño en la lectura. Los niños a los que se les lee en voz alta desde pequeños muestran mayor interés en la lectura a medida que crecen (Campbell, 2001). La lectura en voz alta de parte de un maestro entusiasta o de un padre dedicado es un factor importante para motivar a los niños a convertirse en lectores independientes. Hay otro beneficio importante. Como el nivel de compresión auditiva de un lector es casi siempre más alto que su nivel de lectura independiente, la lectura en voz alta puede conectar a los alumnos con libros de naturaleza más compleja y sofisticada. Además, cuando un buen libro es bien presentado durante una sesión de lectura en voz alta, puede hacer surgir un nivel de pensamiento crítico y análisis que los niños no hubieran podido lograr de otra manera (Huck, 1979). Este beneficio se mantiene a lo largo de la escolaridad primaria y secundaria (Butler, 1980).

Los maestros les han leído a sus alumnos por muchas décadas. Sin embargo, durante años, los métodos que usaban los maestros estaban definidos por ciertas creencias: esos métodos no comprometían los procesos de

Una presentación eficaz de un buen libro durante una lectura en voz alta promueve el pensamiento crítico y el analítico de los alumnos.

pensamiento de los alumnos tan profundamente como ahora creemos que debe hacerse. En la última década ha surgido una forma más novedosa de lectura en voz alta que realmente da lugar a mayor participación e interacción de los alumnos. En esta sección, primero revisaremos la forma más tradicional de lectura en voz alta y luego examinaremos la forma interactiva.

Algo de historia

Falta de interacción durante la lectura

El cuento antes de ir a dormir ha sido por mucho tiempo considerado uno de los elementos que sostienen el desarrollo literario en los niños pequeños (Holdaway, 1979).

La lectura antes de dormir habitualmente significa que un lector fluido —la típica niñera— comparte una historia preferida en voz alta con un lector menos fluido. Como su nombre lo indica, la frase "lectura antes de dormir" es un tipo de lectura que ocurre previamente a una siesta o a la hora de irse a dormir por la noche. El contexto de esta lectura es muy cómodo e informal, llevado a cabo en un sillón, un sofá o en la cama. Tal sesión de lectura es muy similar al período dedicado en clase a la lectura en voz alta.

Durante años muchos maestros enfocaron este período de lectura en voz alta de una manera fija y limitada. Se llevó a cabo una encuesta en la que se preguntó a los maestros sobre la cantidad de tiempo que dedicaban a lecturas en voz alta (Hoffman, Roser y Battle, 1993). Los resultados indicaron que la mayoría de los maestros de los primeros grados dedicaban entre 10 y 20 minutos por día a la lectura en voz alta, pero de esa cantidad de tiempo, sólo destinaban 5 minutos a la discusión del libro. Incluso durante las discusiones, la cantidad de tiempo dedicada al intercambio con y entre alumnos era mínima. Claramente, la lectura en voz alta, como fue implementada por años, involucraba poco nivel de debate sobre el libro por parte de los niños. Eliminando este elemento de la lectura en voz alta se reduce en gran manera la oportunidad de que el niño se beneficie plenamente de la experiencia de la lectura.

Falta de percepción de la importancia educativa de la lectura en voz alta

Tradicionalmente, los maestros de los primeros grados han hecho uso del período de lectura en voz alta en su agenda diaria pero no lo han considerado como parte de la enseñanza (Austin y Morrison, 1963). Habitualmente se ubicaba en un momento de transición, cuando los alumnos estaban de vuelta en el salón después de otra actividad o preparándose para el almuerzo. El texto para lectura en voz alta se elegía al azar de lo que estuviera a disposición en la biblioteca de la escuela, con muy poca consideración respecto de cómo el texto podría enriquecer los objetivos educativos del maestro.

LA ENSEÑANZA EN ACCIÓN:
La experiencia de una maestra novata de sexto grado con la lectura en voz alta

Nunca me enseñaron a valorar la lectura en voz alta a los alumnos como una práctica educativa en mi preparación docente. El foco a principio de los años 80 estaba en mantener a los alumnos ocupados en sus asientos con actividades de lectura y escritura. Sin embargo, a partir de mi propia experiencia como niña llegué a intuir que era una experiencia muy placentera que a uno le leyeran. Decidí establecer un período de lectura en voz alta directamente después de la hora del almuerzo. A los alumnos les encantaba que les leyera, ya que los ayudaba a relajarse antes de continuar con las actividades de matemática. Yo misma también lo disfrutaba mucho porque los alumnos prestaban mucha atención a mi lectura.

Sin embargo, una tarde el supervisor vino a la escuela durante el período de clase dedicado a la lectura en voz alta. Pude apreciar en la expresión de su rostro que iba a querer conversar conmigo al respecto. En efecto, más tarde me llamaron de su oficina, en la que me informaron que deberíamos dejar la lectura por placer como una actividad extra-escolar. Se me informó que la escuela era para aprender a leer y que eso no ocurría cuando los alumnos no estaban trabajando. Aprendí más tarde en mi carrera que los niños estaban trabajando realmente durante la lectura en voz alta.

Los maestros de grados intermedios rara vez se permitían un tiempo de lectura en voz alta en clase ya que se consideraba esencial utilizar cada minuto a la enseñanza. Una maestra que tomaba un sexto grado por primera vez relató la siguiente experiencia: La clase de actitud ejemplificada aquí no alentó a muchos maestros de grados intermedios a leerles en voz alta a sus alumnos durante los años 60, 70 y 80.

Una de las razones del rechazo del programa de lectura en voz alta como estrategia eficaz de enseñanza en grados intermedios y escuelas secundarias ha sido la falta de apoyo a la enseñanza por unidades o contenidos. En la mayoría de los casos los libros para lectura en voz alta eran seleccionados por su interés o por ser entretenidos más que por su conexión con el currículum. Esta situación, así como también los demás problemas descriptos arriba, pueden ser enfrentados, según hemos descubierto, desde un enfoque diferente de las lecturas en voz alta. Caracterizamos este enfoque a partir de su elemento clave: la interacción.

Lecturas en voz alta interactivas

Existe un consenso general respecto de que las lecturas en voz alta deben consistir en algo más que sólo el maestro leyendo un libro a sus alumnos. Una clave para mejorar las lecturas

---

Características de las lecturas en voz alta
(Hoffman, Roser y Battle, 1993)

❁ Designar un tiempo y un lugar legítimos en el curriculum para la lectura en voz alta.

❁ Seleccionar literatura de calidad.

❁ Compartir obras literarias relacionadas entre sí.

❁ Discutir la literatura de manera vivaz, atractiva y reflexiva.

❁ Agrupar a los niños de forma tal de maximizar sus oportunidades de responder.

❁ Ofrecer una variedad de oportunidades de devolución y extensión del texto.

❁ Releer fragmentos seleccionados.

---

en voz alta es crear espacios de devolución o respuesta de los alumnos. Al diseñar la biblioteca del aula, conviene pensar cómo se la puede usar para adoptar las siguientes prácticas:

Enfatizar el texto y la interacción

Al conducir lecturas en voz alta interactivas el primer desafío para el maestro es decidir cuando el debate desvaloriza el texto. Mientras un criticismo potencial hacia las lecturas en voz alta interactivas podría argumentar que, estimulando mucho la discusión de un libro durante la lectura, se aparta la atención del alumno de las características estéticas de la literatura, hay otra faz de este argumento. Permitir algo de discusión durante la lectura en voz alta a partir de experiencias de los alumnos relacionadas con la historia puede construir la importancia de la actividad. Además, el objetivo es crear un equilibrio donde las experiencias individuales de los alumnos relacionadas con el texto son valoradas y estimuladas sin minimizar los relatos de los alumnos respecto del texto.

Usar las lecturas en voz alta para ampliar conocimientos y brindar placer

Al planificar las lecturas en voz alta hay que recordar que ofrecen una gran oportunidad de sentar las bases del conocimiento de los alumnos y del atractivo de los libros. Leerles en voz alta a los alumnos libros informativos y de no ficción les provee de contenidos educativos adicionales y focalizando la interacción con ellos durante la lectura en voz alta se los ayuda a reforzar su habilidad para entender cómo están estructurados los libros.

Pautas para desarrollar lecturas en voz alta interactivas

Las siguientes diez pautas son útiles para los maestros que desean llevar a cabo lecturas en voz alta interactivas con sus alumnos (Barrentine, 1996). Al leerlas hay que ir pensando cómo una biblioteca de aula bien diseñada podría ampliar las posibilidades de ponerlas en práctica.

Pautas sugeridas para lecturas en voz alta interactivas

☼ **Seleccionar los libros cuidadosamente.** Los libros con personajes vivaces, tramas ricas y lenguaje creativo son buenas opciones para todos los niveles. Además, en los primeros grados, los libros con patrones predecibles, ilustraciones de buena calidad y ritmo constante ayudarán a atraer la atención de los alumnos hacia el texto. Aunque las lecturas repetidas de un mismo texto son apropiadas para la lectura en voz alta, presentar un texto nuevo ayuda a mantener el interés del alumno en esta parte de la rutina. Un buen punto de partida son los libros que el docente prefiere y que son adecuados para los alumnos. Como muchos alumnos querrán continuar con la lectura del libro elegido o con materiales relacionados con el mismo, es conveniente colocar los libros en un área de fácil acceso visual dentro de la biblioteca del aula, contigua al sector destinado a lecturas en voz alta.

☼ **Considerar el entorno literario.** Para hacer más interactivas las lecturas en voz alta es importante pensar cuidadosamente el rol de éstas con relación a la biblioteca del aula y plantearse ciertas cuestiones de antemano. ¿Se pondrán todos los libros en la biblioteca del aula al comenzar el año o se retendrán algunos títulos seleccionados que se usarán para la lectura en voz alta? ¿Se seleccionarán libros que apoyen el aprendizaje de un contenido curricular que está siendo estudiado en el mismo período? ¿Cómo ubicar a los niños de manera que puedan ver y oír el texto que se lee?

☼ **Prepararse para una lectura en voz alta interactiva exitosa.**

Estar totalmente familiarizado con el libro antes de la lectura en voz alta.
Con los libros ilustrados, esto puede significar hacer varias lecturas del texto antes de leerlo en voz alta. Con libros divididos en capítulos, podría ser necesario hojear el fragmento seleccionado y familiarizarse con la estructura, la trama, el problema, la resolución, el escenario y los personajes. Estar alerta sobre áreas del libro que requieren aclaraciones o aportes.

Pensar en los objetivos perseguidos para los alumnos con esa lectura e identificar qué procesos y estrategias están en juego al leer la historia.
Tener presente a los alumnos al analizar el texto. ¿Qué elementos del texto necesitan ser ampliados para ayudar a los alumnos a desarrollarse como lectores? Al pensar en las necesidades de los alumnos como lectores, la lectura en voz alta se vuelve mucho más relevante al ayudar a cada alumno a beneficiarse de la lectura.

Identificar en qué momento alentar a los alumnos a que hagan predicciones respecto del desarrollo de la historia.
Invitar a los alumnos a hacer predicciones sobre la historia en puntos estratégicos de la lectura, los ayuda a entender el texto. Permitir que la clase haga predicciones sobre la historia también es un sostén para que los lectores menos habilidosos clarifiquen información clave.

Identificar en qué momento el conocimiento de los alumnos sobre el trasfondo puede requerir apoyo.
Es importante recordar que la comprensión auditiva de un alumno siempre será superior que su comprensión lectora. Desarrollar algún concepto o vocabulario antes de la lectura en voz alta ayudará a los alumnos a interactuar con historias que, de otro modo, no serían capaces ni estarían deseosos de manipular.

Pensar de antemano cómo redactar las preguntas y utilizar lo que se observa sobre las devoluciones de los alumnos para mejorar futuras preguntas.
Aprender a formular buenas preguntas y a seguir una línea con ellas durante una discusión es un arte en sí mismo. Por ejemplo, es importante formular preguntas que requieran el pensamiento analítico o inferencial de los alumnos, no solamente relatar literalmente los hechos. Asimismo, es importante hacer preguntas basadas en saberes previos de los alumnos y no sobre presunciones; indudablemente, ellos no van a aferrarse a elementos del libro como lo haría un adulto. Una manera de obtener mejores resultados al preguntar es considerar cuidadosamente las respuestas de los alumnos para tener mejor idea de su nivel de desarrollo.

Ser flexible y estar dispuesto para desistir de los propios planes.
La lecturas en voz alta interactivas son muy dinámicas y requieren mucha flexibilidad de parte del maestro. Las intervenciones de los alumnos pueden agregar perspectivas que no se habían considerado previamente. Estar dispuesto a aceptar esos leves desvíos como enriquecedores de la charla.

Crear oportunidades para que los alumnos exploren y extiendan el libro de maneras significativas. A menudo es apropiado explorar el libro en mayor detalle al seguir la lectura. Esto les permite a los niños lograr mayor personificación de la historia en sus propias mentes. El tema de un libro puede llevar naturalmente a contextos mayores o temas relacionados. Una biblioteca de aula bien diseñada proveerá una valiosa fuente cuando los alumnos se dirijan allí en búsqueda de esa clase de temas y de intereses.

※ **Insertar las lecturas en voz alta dentro de la rutina educativa.** Las lecturas en voz alta funcionan mejor si se desarrollan dentro de la rutina de enseñanza del aula. Si no están integradas dentro de la planificación es una buena ocasión para que no se les preste atención. Veinte minutos por día es un lapso habitual destinado a lecturas en voz alta, pero puede tomar más tiempo de acuerdo con la experiencia de los alumnos.

Adaptado de Barrentine, 1996

Esto requiere que la biblioteca del aula sea el corazón del ámbito escolar. Los alumnos están en mejores condiciones de ampliar su aprendizaje cuando tienen fácil acceso a materiales de apoyo, algo que brindan las buenas bibliotecas de aula.

Lista para maestros sobre las lecturas en voz alta efectivas

- Elegir libros que son entretenidos y atrayentes.

- Leer a los niños, por lo menos, veinte minutos por día.

- Permitir el acceso a los materiales de lectura en voz alta para uso individual en la biblioteca del aula.

- Involucrar a los niños cuando se lee en voz alta. Leerles a los niños es una parte esencial para ayudar a los lectores con dificultades a desarrollar el lenguaje y convertirse en lectores ellos mismos.

- En los primeros grados, leer varios libros por día para que los niños se acostumbren a escuchar vocabulario rico, varias tramas textuales y variedad de géneros.

- En los grados intermedios, elegir libros que mantengan el interés de los alumnos a lo largo de los capítulos. Libros de suspenso, libros que lleven directo al climax o libros que planteen un dilema moral son buenas opciones.

- Para todos los grados, leer algunas selecciones que reflejen la diversidad cultural. Destacar éstas y otras selecciones relacionadas, exhibiéndolas en la biblioteca del aula.

- Conocer bien los libros para que los niños escuchen un modelo excelente de lectura en voz alta.

- Invitar a otra gente a leerles a los niños de vez en cuando. Se le puede pedir al director de la escuela, personal de la escuela, padres, ciudadanos comunes.

- Asegurarse de establecer pautas claras para el tiempo de lectura en voz alta. Cada maestro es diferente: asegurarse de que cada alumno entiende qué puede y qué no puede hacer mientras se está leyendo.

- Introducir la lectura con una frase que atrape la atención para comprometer a los niños a escuchar antes de comenzar a leer.

- Evaluar los conocimientos previos y completar la información que necesiten los niños para entender mejor la historia.

- Establecer un objetivo para la lectura. Por ejemplo, si el maestro va a leer *El principito* (de Saint Exupery, 1943) a sus niños de cuarto o quinto grado, puede hacer que los niños descubran el mensaje que subyace a este simple cuento fantástico.

- Relacionar las nuevas lecturas en voz alta con historias familiares para los alumnos a las que ya han accedido en el aula, en casa, en clubes de lectura escolares.

- Tratar de mantener la páginas mirando hacia los niños para que puedan ver las ilustraciones.

- Al leer libros divididos en capítulos, mostrarles a los niños todas las ilustraciones.

- Arreglar de antemano puntos estratégicos de corte para que los niños ansíen escuchar el resto del libro.

- Usar una variedad de estrategias de dramatización para atrapar a los oyentes con la historia. Por ejemplo, se puede usar un "delantal cuenta-cuentos" especial con muchos bolsillos, de los cuales se sacan —en el momento oportuno— justo el accesorio o personaje de peluche (Ver foto).

- ☼ Utilizar cualquier oportunidad de aprender y relacionar con otros temas que están estudiando los alumnos. Apoyar esos temas con colecciones especiales en la biblioteca del aula, pero no interrumpir la historia al punto de interferir en la comprensión.

- ☼ Después de leer, asegurarse de brindarles a los alumnos la oportunidad de debatir y hacer preguntas. Puede ser apropiado de vez en cuando pedirles que piensen en voz alta, que ayuda a la comprensión.

- ☼ Comprometer a los alumnos en estudiar a los autores, especialmente los autores de colecciones.

Lista de trucos útiles para conducir lecturas en voz alta interactivas

Concluimos este capítulo con una lista de trucos que pueden usarse para conducir lecturas en voz alta en el aula.

CAPÍTULO 4

Cómo la biblioteca de aula respalda la lectura *con* los niños

La señorita Sánchez reunió a sus dos cursos de sexto grado alrededor de una pequeña mesa en la biblioteca del aula. Eligieron leer un libro que hablaba de sueños y fantasías. Comenzaron esta lectura guiada con una conversación conducida por la docente. Ella les preguntó si tenían algún lugar predilecto o secreto donde sentarse, pensar y soñar. Julia dijo que ella y su hermana se encerraban en su cuarto para hablar. Agustín comentó que con sus amigos iban al parque, trepaban a su roble favorito y se sentaban en sus ramas para hablar y fantasear.

La señorita Sánchez recordó a sus alumnos que "tener amigos con quien hablar y en quien confiar era muy importante. Pero tener un lugar donde poder ir a hablar y fantasear era también maravilloso". Y señaló que en aquel libro, un grupo de jóvenes amigos encontraban un lugar casi mágico, atravesando un pequeño puente que cruzaba un claro arroyo, donde podían imaginar, hablar y soñar juntos; pero con el correr del tiempo algo trágico sucedía en ese lugar único.

Leer "con" los niños es parte vital de un completo y efectivo programa de promoción de la lectura. Al leer con los alumnos el maestro tendrá el poder de demostrarles y guiarlos en las estrategias para realizar exitosamente una lectura comprensiva del texto impreso (Mooney, 1990). Y tal como descubrió la señorita Sánchez, verá que una biblioteca bien organizada y completa brinda un espacio adecuado para el aprendizaje y provee al docente con los libros correctos para fomentar la lecturas compartidas, guiadas y otras oportunidades de lectura con los alumnos.

Utilizar la biblioteca de aula para que la lectura compartida cobre vida

¿Qué es la lectura compartida?

La lectura compartida tiene el objetivo de rescatar en el salón de clases toda las características importantes de los momentos de la lectura que los niños viven en sus hogares antes de ir a dormir o sobre las rodillas de sus padres o abuelos (Holdaway, 1979, 1981). Esta *experiencia de libro compartido* es utilizada para lectores muy jóvenes con el objetivo de moldear el proceso de lectura de un grupo entero de niños. Sólo hay que hacer una modificación para realizarlo en un salón de clases: la impresión del

Durante la lectura compartida, la maestra muestra la secuencia de lectura para un gran grupo de jóvenes lectores.

libro debe ser ampliada para que cada niño pueda leer al mismo tiempo con la guía del maestro (Barrett, 1982).

Al seleccionar los libros o los cuentos para experimentar la lectura compartida, hay que tratar de que sean aquellos que más les gustan a los niños. Cualquier texto o cuento que se lea con ellos (incluyendo los textos de base) deben ser literarios, tener un contenido comprometido y deben despertar su interés. Las ilustraciones deben reflejar el texto y ayudar a la lectura de la historia en la secuencia apropiada. Es preferible que estos libros y cuentos sean repetitivos, contengan secuencias acumulativas, rimas y ritmo para seducir a los niños con la melodía y cadencia de la palabras. Tales características atrapan a los alumnos en los sonidos y patrones del lenguaje. Es muy importante que el número de palabras desconocidas en una lectura compartida no abrume a los lectores incipientes.

También es útil para los lectores más pequeños que las figuras acompañen la lectura.

A medida que los niños se familiarizan con más palabras, se pueden elegir libros que contengan igual porcentaje de palabras e ilustraciones. Eventualmente, podrán utilizarse libros que muestren figuras sólo como complemento de la lectura.

Hay que recordar que los libros elegidos para experimentar la lectura compartida deben tener el mismo impacto visual para 20 o 25 niños que el que tendría un libro de tamaño normal sobre un solo niño sentado en las rodillas de su padre, escuchando una historia. Esto significa que los maestros deberán utilizar libros grandes, impresiones en tamaño rota-folio, proyecciones de diapositivas, o libros en CD-ROM proyectados sobre una pantalla. También pueden utilizar varias copias del mismo libro y distribuirlas entre varios grupos pequeños.

Cuando las condiciones para la selección de un libro están dispuestas, los niños y los maestros realmente disfrutan la experiencia de la lectura. Comparten el descubrimiento de buenos libros, la conciencia sobre cómo funciona la letra impresa, y el poder del lenguaje. Además, los niños ganan confianza en su habilidad lectora (Barret, 1982).

Cómo guiar una lectura compartida o una experiencia de libro compartido

Una experiencia de libro compartido comienza presentando un libro. Esta introducción debe exaltar el deseo de los niños de leer un cuento y ayudarlos a encontrar paralelismos entre sus experiencias previas, sus conocimientos y la historia del libro.

Se invita a los niños a mirar la portada del libro. Por ejemplo, digamos que el maestro eligió "La oruga muy hambrienta" de Eric Carle (una excelente elección para un primer acercamiento a la experiencia de compartir un libro). Indudablemente, lo primero que notarán los alumnos será la oruga. El maestro podrá motivarlos preguntándoles qué piensan que está haciendo la oruga y qué papel jugará en el relato, guiándolos hacia la idea de que se encuentra hambrienta.

Esto los preparará para escuchar el título, el cual el maestro leerá en voz alta. Luego puede hablar sobre la portada y la contratapa del libro y señalar algunas de las características como los nombres del autor y del ilustrador, el editor, la fecha de edición y la portada.

Luego puede pedirles a los alumnos que miren las ilustraciones y preguntarles: "¿Qué piensan ustedes que dice el texto?" Esta pregunta generalmente abre la discusión y deja fluir conexiones personales y predicciones. En lo que respecta a este libro los niños seguramente conversarán sobre sus propias experiencias que involucren capullos, polillas, mariposas. Luego de esto, el objetivo es leer el libro "posiblemente dramatizando algunos de los mejores párrafos" (Barret, 1982). Mientras se lee el cuento, se invita a los niños a que adivinen cualquier frase o palabra que se repita constantemente en el libro. En momentos clave de la lectura, sería interesante alentar a los niños a predecir qué sucederá después en la historia. Este cuento de Carle, con su progresión a lo largo de los días de la semana y el incremento diario de la dieta de la oruga, se presta naturalmente a la repetición y a las predicciones.

La biblioteca del aula como el centro de la lectura compartida

Al devolver un libro a la biblioteca del aula, luego de una experiencia de lectura compartida, es mejor no colocarlo en un estante, sino situarlo a la vista. Pueden utilizarse atriles, los extremos de los estantes, mesas, atriles para pizarras, canaletas de desagüe fijadas a los extremos de los estantes. Estos exhibidores sirven para atraer la atención de los alumnos, la cual los conducirá a elegir este material, utilizado en la experiencia de lectura compartida, para leerlo de manera independiente. Con la práctica, estos libros de lectura compartida se convierten en los favoritos de los lectores jóvenes.

Además de ser un buen lugar de exhibición, la biblioteca de aula provee la ubicación ideal para ordenar libros grandes y múltiples copias de libros de tamaño tradicional, así como láminas de consulta y otros productos impresos utilizados en la lectura compartida.

Organizar los libros de mayor tamaño presenta un desafío. Existen varios métodos que se pueden utilizar para hacerlo de manera eficiente:

- Utilizar perchas de pantalón para exhibirlos y guardarlos.
- Utilizar cajones del tamaño correcto y etiquetas apropiadas.
- Crear organizadores especiales, bolsillos gigantes por ejemplo (ver foto a la derecha).

Pequeños canastos plásticos son ideales para guardar varias copias de un mismo libro de tamaño normal. Si el presupuesto o el espacio disponible presenta un problema para conseguir los canastos, se pueden recolectar cajas de cereales en buen estado a las que se les pueda quitar las tapas y realizar sobre ellas un corte con un ángulo de 45°; este método nos ha resultado muy útil. Varias copias de un mismo título pueden ser guardadas en estas cajas de cereales debidamente identificadas para mantenerlas ordenadas en un solo lugar.

En el texto siguiente aparece un resumen de las principales formas en que una biblioteca de aula puede ayudar a desarrollar y mantener la lectura compartida como componente del programa de lectura en clase:

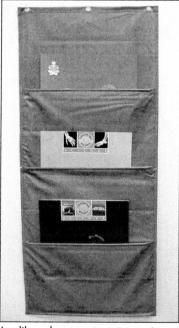

Los libros de mayor tamaño requieren organizadores especiales como estos bolsillos gigantes.

- Los libros para lectura compartida pueden estar todos ubicados en un lugar específico, identificados y etiquetados para tal fin.
- La biblioteca de aula es el lugar ideal para fomentar la práctica de la lectura compartida, releyendo el libro elegido con un grupo pequeño de alumnos.
- También es un lugar ideal para que dos o más niños elijan libros para releer durante el momento de lectura independiente.

Utilizar la biblioteca de aula para que la lectura guiada cobre vida

La lectura guiada es una parte esencial de un programa de lectura completo. Sustenta dos objetivos de aprendizaje: (1) desarrollar estrategias de lectura, y (2) conducir a los niños hacia la lectura independiente. La lectura guiada involucra el uso de libros clasificados por niveles ya que representan un desafío demasiado grande para los niños que recién se inician en la lectura (Mooney, 1990; Fountas y Pinell, 1996,2001)

Los niños deberían ser introducidos en la lectura guiada sólo después de haber tenido amplias oportunidades de escuchar cuentos, poemas, canciones y participar en experiencias de lectura compartida. Utilizando un modelo de lección preestablecido basado en un cuidadoso estudio del texto, el maestro literalmente guía al niño a través de la lectura. La enseñanza de la lectura guiada se focaliza en ayudar a los niños en la "zona de desarrollo próximo"(Vygotsky, 1978), o en aquel punto de su evolución en el que pueden cumplir ciertas tareas con ayuda de un experto pero aún no solos. Se sugiere realizar la experiencia en pequeños grupos; cada grupo debe estar compuesto por niños que tengan similares competencias, experiencias e intereses (Mooney, 1990; Fountas y Pinnell, 1996, 2001).

Hay una gran variedad de publicaciones sobre enseñanza de lectura guiada, aunque no es el propósito de este libro discutir sobre el tema en profundidad. Aquí resumimos algunas estructuras de conocimientos básicos y luego nos dedicamos a lo que nos concierne: los libros que puede utilizar el maestro para su capacitación y el rol central que la biblioteca de aula juega en la enseñanza de la lectura.

Primeros Grados

Existen 7 etapas para una lección de lectura guiada en los primeros grados:

- **Paneo de ilustraciones:** El maestro guía a los niños a través de las figuras de un libro nuevo.

- **Primera lectura:** El maestro hace una primera lectura hasta que los niños adquieren mayores habilidades para leer.

- **Funciones lingüísticas:** Las lecciones sobre la lectura detallada de un texto focalizan en aquellos elementos del texto —palabras, estructura de las oraciones, disposición de las mismas, etcétera— que puedan presentar desafíos.

- **Releer:** Los niños releen el texto en voz alta (o en silencio a medida que desarrollen su fluidez oral) mientras el maestro escucha a cada uno mientras lo hace.

- **Narrar:** Los niños, por turnos, cuentan a sus compañeros y/o al docente lo que han leído. Es así como comprenden que las historias tienen una introducción, un desarrollo y una conclusión.

- **Compartiendo capacidades:** Los niños llevan sus textos de lectura guiada para compartir con sus padres, tutores o hermanos.

- **Ampliación del significado:** Los niños se comprometen en proyectos que les permiten profundizar en la comprensión de los textos a través de la narración, los títeres, la dramatización, los murales y las actividades manuales.

Grados Intermedios

A medida que los niños, en edades intermedias, desarrollan una creciente fluidez y expanden sus intereses, el aprendizaje de la lectura los acompaña en sus cambios. Todas las actividades asociadas con la lectura guiada en estos años tienen el objetivo de agudizar y refinar la fluidez de lectura y las habilidades de pensamiento crítico (Fountas y Pinnell, 2001; Reutzel y Cooter, 1991, 2000).

A este nivel, creemos que el *taller de lectura* (Atwell, 1987; Reutzel y Cooter, 1991, 2000; Fountas y Pinnell, 2001) es el que mejor provee un marco organizativo, de conocimiento flexible y funcional para enseñar a leer. Este marco también incorpora el uso completo de la biblioteca de aula. El formato de taller de lectura que recomendamos tiene cinco partes: (1) puesta en común con el maestro, (2) una mini-lección, (3) evaluación y monitoreo del avance de los alumnos, (4) taller que incluye lectura independiente o lectura silenciosa sostenida (LSS), grupos de respuesta literaria y círculos literarios, y (5) puesta en común entre los alumnos. Existe un gran número de opciones para utilizar los libros de su biblioteca de aula y sus recursos dentro de este marco de trabajo, especialmente en las mini-lecciones, los grupos de respuesta literaria y los círculos de lectura. Mostramos algunos ejemplos más adelante en este capítulo.

En esta etapa, la enseñanza intenta ayudar a los alumnos en el desarrollo de sus capacidades como escritores —para agudizar su habilidad de leer como escritores— y a profundizar su valoración del lenguaje. Debido a que estas metas son tan importantes, la enseñanza de la escritura está típicamente enmarcada dentro de los programas de los grados intermedios. Al final del capítulo, mostraremos cómo utilizar la biblioteca de aula de manera de focalizar en la escritura, así como también reforzar la enseñanza de estrategias clave de lectura, cuando sea necesario.

Reunir libros de lectura guiada para brindar la combinación "indicada"

Cuando se forman grupos de lectura guiada lo más importante a tener en cuenta es combinar los libros "indicados" con cada grupo de niños, libros que los alumnos no puedan leer en forma independiente sin alguna asistencia del maestro. Una biblioteca de aula bien planeada y completa será de gran ayuda. Si el maestro considera al empezar el año qué clase de libros necesita para la lectura guiada y los organiza por niveles, estará mejor preparado para seducir a sus alumnos en la enseñanza de la lectura guiada cuando llegue el momento.

Los grupos de lectura guiada cambian a medida que los niños progresan en el año. Los libros "indicados" deberían presentar a los niños un desafío razonable pero también un alto grado de potencial para el éxito; esto significa que los niños deberían ser capaces de leer el 90% de las palabras del libro seleccionado para la lectura guiada en grupo, sin ayuda alguna.

Los libros utilizados en experiencias iniciales de lectura guiada deberían contar con las siguientes características:

- ☼ Una combinación apropiada de texto e ilustraciones.
- ☼ Presentación gradual de conceptos y palabras que no les sean familiares.
- ☼ Suficiente repetición de elementos predecibles.

Libros por niveles para los primeros grados

Basados en las ideas de Fountas y Pinnell (1996, 1999) elaboramos un listado (ver abajo) que facilitará la elección de libros de lectura "indicados" para cada grupo de niños. La lista resultará más útil si también se consulta el gráfico que le sigue para interpretar el significado de cada nivel. Por supuesto, esto es sólo el principio. El maestro puede pasar un buen rato buscando entre los muchos libros excelentes de literatura infantil disponibles y crear una lista de títulos.

Criterio nivelador para libros, Niveles A-P

(Nota: Cada nivel incorpora las características del nivel anterior y se elabora a partir de allí)

NIVELES A-B

- ☼ Hay una sola idea o historia.
- ☼ El texto y las ilustraciones llevan la historia de manera conjunta.
- ☼ Los temas tienen que ver con las experiencias de los niños.
- ☼ Los textos utilizan estructuras naturales del lenguaje oral.
- ☼ La impresión y la disposición son consistentes y fáciles de seguir.
- ☼ El texto está separado de las ilustraciones.
- ☼ Los textos utilizan todos los signos de puntuación.
- ☼ El espaciado es suficiente para determinar fácilmente la separación de las palabras.
- ☼ Las palabras se repiten a lo largo de la historia.
- ☼ Las páginas contienen de una a cuatro líneas de texto, menos en el nivel A que en el B.

NIVEL C

- ☼ Las páginas contienen de dos a cinco líneas cada una.

- ☼ La historia es narrada más por el texto que por las ilustraciones, pero estas últimas siguen siendo importantes.
- ☼ El texto puede estar dispuesto en dos páginas y en columnas.
- ☼ Las oraciones son más largas.
- ☼ Se utilizan más palabras.

NIVEL D

- ☼ Los cuentos son aún simples pero la narración puede ser más compleja.
- ☼ Las ilustraciones siguen siendo importantes pero la historia lo es aun más.
- ☼ Las páginas contienen hasta seis líneas de texto por página.
- ☼ Las oraciones son más largas.
- ☼ Los textos utilizan más palabras, incluso inflexiones.

NIVEL E

- ☼ Las páginas contienen hasta ocho líneas de texto por página.

- La ubicación del texto en la página puede variar.
- Las ilustraciones contienen varias ideas y el texto es el que conduce la narración.
- La resolución de problemas es necesaria para conectar el texto con las figuras.
- Las palabras requieren un grado mayor de habilidades de análisis.
- Los conceptos de la historia pueden ser menos familiares para los niños.
- Las historias más largas tienen más palabras.

NIVEL F

- El tamaño de los caracteres es más pequeño.
- El lenguaje literario se mezcla con los patrones de lenguaje oral.
- Las palabras de uso frecuente se expanden en los cuentos.
- En los cuentos se distingue la introducción, desarrollo y conclusión.
- El uso de diálogos se incrementa.
- Las habilidades de análisis de palabras son mucho más necesarias a partir de este nivel.

NIVELES G & H

- Las ideas y el vocabulario presentan más desafíos.
- El contenido es cada vez menos cercano a las experiencias de los niños.
- Las historias contienen patrones de lenguaje repetitivo en múltiples episodios.
- Las historias son más largas y tienen más páginas por libro con respecto a niveles anteriores.
- La repetición dentro de cada capítulo se vuelve menor en libros de nivel H.

NIVEL I

- Los textos son más variados, incluyendo textos informativos.
- Las estructura de la narración es más compleja, con más capítulos y temas menos relacionados a experiencias de los niños.
- Se introduce el punto de vista.
- Los textos son más largos y tienen más de ocho oraciones por página.

- Los textos incluyen gran número de palabras desconocidas por los niños lo que demanda habilidades para analizar palabras.

NIVEL J

- La variedad de géneros se incrementa.
- Los libros contienen de 30 a 60 páginas.
- Los libros divididos en capítulos comienzan en este nivel.
- Los libros más largos tienen texto más sencillo para mantener el interés.
- Los libros más cortos contienen textos más difíciles, lo que requiere mayor análisis de palabras y habilidades de interpretación.
- El desarrollo de personajes se intensifica en estos textos.

NIVEL K

- Los libros divididos en capítulos sencillos tienen una imagen en cada página o página por medio.
- Los textos son relativamente simples en estos libros, para ayudar a los niños a mantener la motivación mientras leen libros largos.
- Los libros con imágenes contienen aproximadamente 15 líneas por página.
- La lectura en voz alta deja paso a la lectura silenciosa.

NIVEL L

- Los libros de imágenes son más largos y complejos.
- Los libros divididos en capítulos involucran una trama más compleja que transcurre en períodos de tiempo más largos.
- Los textos representan una gran variedad de géneros.
- La mayoría de los libros divididos en capítulos tiene entre 70 y 80 páginas.
- El tamaño de la impresión varía y a menudo es más pequeña.

NIVEL M

- Los capítulos son más largos y con menos imágenes.
- Los temas varían ampliamente y son más complejos.

- El tamaño de la impresión es más pequeño con más líneas y palabras por página.
- El material de información auxiliar puede estar incluido, como mapas, glosarios, viñetas, biografías y líneas de tiempo.

NIVEL N

- Los libros tienen 100 páginas o más.
- Los capítulos tiene de 15 a 30 páginas de extensión.
- Se hace mayor énfasis en la lectura de material informativo.
- Los textos aún conservan una sola trama y estructura ordenada en episodios.
- Los libros requieren de un contexto cultural o histórico para interpretarlos.

NIVEL O

- Los textos tienen varios personajes con argumentos que se entrelazan, retrospectivas, y otros estilos complejos de escritura.
- Los libros más largos tienen hasta 200 páginas e incluyen ficción realista, biografías, ciencia ficción y cuentos regionales y de hadas.
- Las ilustraciones son básicamente en blanco y negro y aparecen con frecuencia.

- Se utilizan muchas palabras polisilábicas.

NIVEL P

- Es utilizado el lenguaje figurativo pero explicado por el autor.
- Los textos son más largos y complejos, con más variedad de tipo y género.
- Las historias distan mucho de las experiencias personales de los niños, lo que requiere mayor habilidad para comprender el contexto histórico e interpretar los nuevos significados del texto.

Fuente: Fountas y Pinnell, 1999.

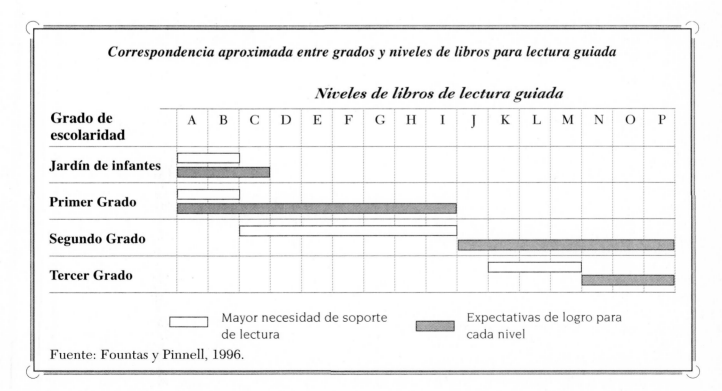

Correspondencia aproximada entre grados y niveles de libros para lectura guiada

Niveles de libros de lectura guiada

Grado de escolaridad	A	B	C	D	E	F	G	H	I	J	K	L	M	N	O	P

- ☐ Mayor necesidad de soporte de lectura
- ▨ Expectativas de logro para cada nivel

Fuente: Fountas y Pinnell, 1996.

Libros por niveles para grados intermedios

El mismo criterio de niveles fue aplicado a los libros para grados intermedios (Fountas y Pinnell, 2001) para permitir a los maestros de 4º a 6º grado hacer las mismas selecciones en libros para lectura guiada (Daniels, 1994). De la misma forma, cada nivel incorpora y se basa en los atributos del nivel previo. Al final de la lista aparece un gráfico para los niveles intermedios.

NIVEL Q

- Estos libros tienen muy pocas ilustraciones.
- Emplean oraciones y vocabulario más complejos que en niveles previos.
- Las tramas son más complejas, ofrecen humor sofisticado e ideas interesantes.
- La caracterización es representada a través del uso del diálogo y la perspectiva.
- Los libros son bastante largos y requieren interés sustancial y dedicación a la lectura a lo largo de varios días.
- Pueden tratar temas maduros asociados a problemas sociales.

NIVEL R

- Los libros representan un rango de tiempo en la historia.
- Se utiliza vocabulario con significado connotativo.
- Los libros de ficción pueden utilizar analogías y metáforas.
- Los libros que no pertenecen al género ficción se enfocan en biografías y autobiografías.
- Pueden abarcar temas maduros tales como la guerra, problemas familiares, incluso la muerte.

NIVEL S

- Los libros reflejan una amplia variedad de temas y culturas.
- Muchos trabajos de ficción histórica están incluidos en este nivel.
- Los textos presentan experiencias diferentes a los antecedentes de los alumnos.
- Los libros ofrecen oportunidades para interconectar los textos previamente leídos y hechos históricos.

NIVEL T

- Los textos utilizan muchas palabras polisilábicas.
- También se encuentran variedad de estructuras y géneros.
- Fantasía, ficción histórica, información, biografías y ficción realista forman parte de este nivel.
- Los temas de este nivel incluyen: crecimiento, coraje, trabajo arduo y prejuicio.
- También involucran diferentes grupos étnicos.

NIVEL U

- Los textos presentan información con estructuras técnicas específicas, como gráficos, cuadros y tablas.
- Los textos narrativos son complejos, con tramas principales y suplementarias.
- Los personajes son multidimensionales y complejos.
- Los temas son más abstractos y los autores usan simbolismos.
- Se utilizan formatos creativos, como cuentos cortos todos sobre el mismo personaje.

NIVEL V

- Las biografías a este nivel incluyen una cobertura importante de hechos históricos, temas ríspidos y períodos históricos difíciles.
- La ficción incluye ciencia ficción.
- Se requiere de parte de los lectores un pensamiento crítico.
- El tamaño de la letra es más pequeño y los textos pueden extenderse sobre 200 a 300 páginas con muchas más palabras por página.

NIVEL W

- Los textos requieren de conciencia sobre temas políticos y sociales.
- La fantasía y la ciencia ficción introducen personajes heroicos, interrogantes morales, y disputa entre el bien y el mal.

- Los libros de información son cada vez más complejos y contienen información aún más técnica.
- Las biografías tienen más detalles que motivan a los lectores a inferir sobre las motivaciones del personaje.

NIVEL X

- Ciencia ficción incluye información técnica así como también fantasía.
- Los lectores deberán ir mas allá de lo literal para comprender el significado.
- Continúa en aumento la sofisticación del vocabulario, el lenguaje y los temas.

NIVEL Y

- Los textos presentan temas sutiles y tramas complejas.
- Incluyen ironía y sátira.
- Incluyen figuras y travesías heroicas.

- Los textos deben ser analizados para captar los mensajes subyacentes y por los elementos de la trama tradicional.

NIVEL Z

- Los libros tratan conceptos sociales controversiales y temas políticos.
- Los lectores adquieren nuevas competencias para buscar información técnica.
- La narrativa provee detalles gráficos de violencia y privación.
- Contienen gran cantidad de información técnica compleja.

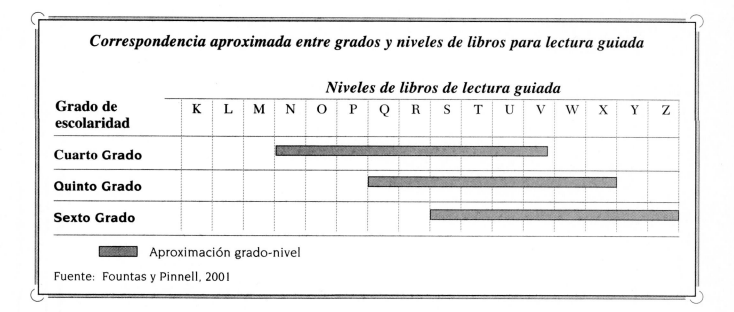

Correspondencia aproximada entre grados y niveles de libros para lectura guiada

Grado de escolaridad	Niveles de libros de lectura guiada															
	K	L	M	N	O	P	Q	R	S	T	U	V	W	X	Y	Z
Cuarto Grado				████	████	████	████	████	████	████	████	████				
Quinto Grado						████	████	████	████	████	████	████	████	████		
Sexto Grado								████	████	████	████	████	████	████	████	████

▬▬ Aproximación grado-nivel

Fuente: Fountas y Pinnell, 2001

Hacer de la biblioteca de aula una fuente confiable de libros por niveles

La manera más económica de acceder a una colección significativa de libros clasificados por niveles es establecer una colección central dentro de la escuela. Esta colección central será un lugar donde los maestros podrán consultar varios grupos de libros clasificados para usar en la biblioteca del aula. Una vez que el maestro utilizó estos libros para su lección de lectura puede guardarlos temporalmente en la biblioteca del aula. En la foto puede verse una biblioteca central.

Durante la lectura independiente, los alumnos seguramente elegirán los libros leídos durante la lectura compartida, con el objetivo de alcanzar mayor nivel de fluidez, también por el simple placer de releer un libro que les es familiar. Así, los niños considerarán que la biblioteca del aula es una fuente confiable de libros y materiales de lectura guiada. El maestro puede facilitarles el acceso destinando estantes especiales para colocar los libros utilizados en lectura guiada, como se ve en la foto.

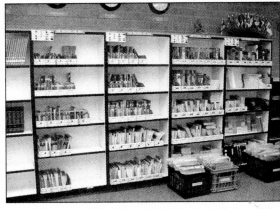

Una colección central de libros clasificados dentro de la escuela es una manera económica y eficiente de reunir material.

Hacer de la biblioteca de aula una fuente confiable de variedad de libros interesantes

Los estantes discriminados por niveles de libros ayudan a los alumnos a encontrar lo "indicado" para su nivel de lectura.

Además de armar una colección sustancial de libros clasificados, usted puede agrupar los libros y el material de la biblioteca de diversas maneras, con el objetivo de brindar un marco de apoyo a la enseñanza de la lectura durante los talleres. Por ejemplo, el material para la lectura independiente o para LSS incluye cajas personalizadas donde buscar material de referencia como revistas, periódicos y otros. También la biblioteca puede contener colecciones de distintos títulos, confeccionados para niveles diferentes de lectura, relacionados por grupos de temas, autor o género.

Las colecciones pueden ser utilizadas de varias maneras. Múltiples títulos de un mismo autor permiten a los alumnos comparar y contrastar varios ejemplos del estilo de escritura del autor (Kotch y Zackman, 1995). Las compilaciones por temas permiten una lectura más profunda, realizar experiencias de investigación para aquellos alumnos interesados en un tema o persona. La lectura de varias biografías y libros de ficción histórica aporta a los jóvenes lectores agudeza de ingenio, raramente adquirida en la lectura independiente de libros de texto cortos.

Los libros como centro de las mini-lecciones de los grados intermedios

Las mini-lecciones son una parte importante de la enseñanza de la lectura en el nivel intermedio; pueden llevarse a cabo dentro de una biblioteca de aula. Creemos que la manera más eficiente es ubicar las mesas en forma de U y que el maestro se coloque en medio para impartir las instrucciones. Esto permite al docente observar, evaluar y dar apoyo mientras se muestra como parte del grupo. El libro correcto en el momento preciso permite el lanzamiento de una mini-lección. Pueden utilizarse libros para demostrar, ilustrar y exhibir lo que hacen los autores cuando escriben y lo que necesitan hacer los lectores para llegar a

La enseñanza de la lectura alrededor de una mesa en U puede llevarse a cabo en la biblioteca del aula.

comprender el texto. Estas mini-lecciones tienden a ayudar a los alumnos de grados intermedios a ser lectores independientes y críticos. ¿Qué mejor manera de hacerlo que utilizar una buena selección de libros que les permita conducir y sostener su conocimiento?

Existen tres mini-lecciones típicas para niveles intermedios: procedimental, de habilidades y estrategias, literaria.

Las mini-lecciones **procedimentales** informan a los alumnos sobre:
- Procedimientos
- Expectativas
- Tareas
- Opciones de respuesta a la lectura

Las mini-lecciones de **habilidades y estrategias** se focalizan en mostrar a los alumnos con cuánta fluidez los lectores usan estrategias tales como:

- Predecir

- Inferir

- Visualizar

Y por último, las mini-lecciones **literarias** intentan asistir a los alumnos en:
- Responder a la literatura
- Comprender elementos literarios, como los vinculados con anticipaciones, recapitulaciones y simbolismo
- Utilizar lenguaje figurado como herramienta para la comprensión
- Interpretar los diálogos de los personajes

Los libros como centro de las reuniones grupales en grados intermedios

Los grupos de respuesta literaria (GRL), también llamados círculos literarios son una parte central de los talleres de lectura para grados intermedios. Cada reunión dura aproximadamente 20 minutos y ofrece a los alumnos y al maestro una oportunidad para conversar sobre una sección en particular de un libro. El maestro puede comenzar su GRL presentando la opción de tres libros durante una charla literaria informal. Los alumnos votarán por su título favorito. Basándose en la votación, distribuirá a los alumnos en tres diferentes GRL. Mientras conversa con un grupo de alumnos, el resto podría leer libros seleccionados por ellos mismos o algunas páginas "objetivo" de GRL.

Para guiar y moldear la discusión durante la reunión de GRL, alguna actividad de respuesta podría ser de utilidad, tales como la que podría denominarse "dibujo extensivo" (Short, Short, Harste y Burke, 1995; Siegel, 1983). La actividad que se elija deberá permitir a los alumnos comprometerse en pensamiento o sentimiento con el libro elegido. Esta actividad en particular ofrece una maravillosa oportunidad a los niños para que ilustren su parte favorita de la historia. Los pasos para la actividad de "dibujo extensivo" se explican a la derecha.

Las actividades para grupos de respuesta literaria como "dibujo extensivo" están diseñadas para estimular la audacia de los alumnos en sus reacciones ante la lectura. Las mejores actividades los ayudan a esclarecer que no existe sólo una forma de reacción correcta y que las interpretaciones dependen de los antecedentes, conocimiento e intereses de los lectores. Aquí va otra posible actividad:

MINI-LECCIÓN: *Actividad de dibujo extensivo*

- Luego de leer el cuento, cada niño de manera independiente comentará su parte favorita y dibujará su propia interpretación de la historia. Se les brindará tiempo suficiente para terminar sus dibujos. (El énfasis está en el significado y no en el talento artístico).

- Luego, cada alumno compartirá su dibujo con el grupo (sin comentarios) e invitará a los otros a especular sobre su significado y su relación con las páginas importantes. Una vez que hayan concluido el artista tendrá la última palabra.

- Una vez que cada niño haya compartido su dibujo, el grupo elegirá uno para compartir con el resto de la clase. Generalmente el dibujo elegido representa una buena sinopsis del cuento.

Entrevista en vivo

Cuando los alumnos se involucran en la lectura guiada, círculos literarios o grupos de debate sobre libros, algo que los seduce y realza a los personajes y la trama es la "entrevista en vivo", con micrófono en mano. No se necesita tener un micrófono conectado, sólo posicionarlo frente a la boca de un niño y formular preguntas que brindarán las respuestas más maravillosas. Posiblemente, al maestro le interesará grabar el intercambio en vivo.

Judy Freeman, Consultora sobre literatura infantil, columnista de Book Talk para la revista *Instructor y autora del libro More Books Kids Will Sit Still For* (Bowker/Greenwood, 1995)

Como cierre de un ciclo de estudio literario en particular, se puede usar la biblioteca del aula como lo hace esta maestra:

Utilizar la biblioteca del aula para que la lecto-escritura cobre vida

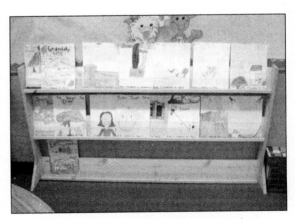

Los libros creados por los alumnos, dispuestos en la biblioteca del aula, devienen usualmente populares.

Estudiar el oficio del autor es uno de los focos más importantes de la enseñanza en los grados intermedios. Es a esta edad cuando los alumnos comienzan a comprender qué significa leer como un escritor. En otras palabras, los alumnos desarrollan el uso de estrategias de lectura y comprensión de texto, experimentando directamente cómo el autor, desde su punto de vista, escribe y estructura el texto. A mayor exposición a diferentes estilos de escritura, mayor será la comprensión de las diferentes maneras en que se pueden expresar sentimientos y necesidades. Es por eso que enseñar a escribir y dedicar tiempo a escribir son un complemento para el marco del taller de lectura, que ayuda a integrar la lectura y la escritura.

Casi todo el material escrito, colecciones de humor y adivinanzas, poesía, tarjetas de saludo, libros de cocina, guías, folletos, guiones, correo electrónico, diarios, junto con las novelas y libros de género no ficción, está permitido. Con una materia prima de diferentes géneros y variados títulos, la biblioteca de aula brinda el contexto ideal para fomentar la lecto-escritura. No solo provee material escrito por varios autores sino también da muestras de cómo escribir en los diversos géneros.

Conocer la gente que está detrás de los libros es motivador para los escritores jóvenes, y la biblioteca de aula es ideal para invitar a los alumnos a comprometerse en el estudio de autores. Se puede establecer una sección especial dedicada a información sobre ciertos autores. Algunos autores invitan a los alumnos a comunicarse con ellos por correo tradicional o electrónico y esa información puede estar disponible en la biblioteca del aula.

También se puede asignar a los proyectos de escritura de los alumnos, una vez finalizados y "editados", un lugar especial en la biblioteca del aula, colocándole bolsillos y tarjetas de biblioteca dentro, catalogándolos y ubicándolos en la biblioteca para permitir que otros alumnos los lean. Exhibirlos con sus tapas bien a la vista, hace que los niños se sientan orgullosos y facilita la búsqueda para los demás alumnos. En nuestra experiencia, estos libros creados por los alumnos son los que se vuelven más populares.

Mini-lecciones sobre el oficio de escritor

Las mini-lecciones sobre el oficio de escritor son parte importante de la enseñanza de la escritura en este nivel:

1. Brindar a los alumnos los conocimientos y las estrategias necesarios para escribir una variedad de composiciones de texto.

2. Enseñarles a emplear varias técnicas literarias.

3. Asegurarse de que comprendan muchas de las herramientas que utiliza el autor.

La mejor manera de mostrar una técnica literaria particular o estructura de texto es seleccionar un libro o un puñado de libros caracterizados fuertemente por esa técnica e incorporarlos a su lección. La biblioteca de aula puede convertirse en una maravillosa fuente y lugar ideal para llevar a cabo una mini-lección de escritura.

Ideas seleccionadas para una mini-lección sobre el oficio de escritor

- Explorar / proponer ideas
- Títulos atrapantes
- Frases cautivantes
- Comprensión de las partes de la historia
- Diferentes tramas: estructuras para dar a entender información
- Palabras para imágenes fuertes o emociones
- Uso de lenguaje figurativo
- Apoyar las ideas importantes con detalles

- Hacer transiciones paulatinas
- Escribir con coherencia.
- Establecer un punto de vista
- Estilos para demostrar un estado de ánimo
- Desarrollo de episodios
- Finales duraderos
- Revisión a través de la lectura
- Focalizar en el tema
- Combinar oraciones

Utilizar la biblioteca de aula para reforzar la enseñanza del lenguaje y la lectura

Las clases regulares de lectura no siempre serán suficientes para que todos los alumnos progresen en esta habilidad. A veces se necesitarán mini-lecciones dedicadas a refinar y desarrollar el uso de las estrategias con el objetivo de superar el desafío que presentan palabras y libros más complejos. También ayudan a los alumnos a comprender el uso que hacen algunos autores de elementos literarios más sofisticados e interesantes. Estas mini-lecciones adicionales pueden estar destinadas a toda la clase, a grupos que las necesiten más o a alumnos en particular que precisen apuntalar su progreso en la lectura y expandir el repertorio estudiantil de estrategias para la construcción de significados.

Las estrategias que apuntalan el progreso en la lectura, incluyen:

1. Deducir palabras
2. Encontrar la información importante
3. Predecir
4. Mantener la fluidez
5. Evaluar y corregir
6. Ajustar

Las estrategias que apuntalan la comprensión lectora incluyen:

1. Relacionar
2. Inferir
3. Resumir
4. Sintetizar
5. Analizar
6. Evaluar

Cuando los alumnos están en los años intermedios, a menudo utilizan automáticamente estos grupos interconectados de estrategias de soporte. Pero también es importante que, durante este tiempo de instrucción en la lectura, el maestro demuestre a los alumnos cómo, cuándo y por qué estas estrategias son aplicadas.

A continuación veremos cómo la biblioteca de aula apuntala la transmisión de tres de estas estrategias.

Esclarecer palabras

La biblioteca de aula es el lugar ideal para:

- Almacenar letras y palabras manipulables, tales como letras magnéticas, letras y palabras confeccionadas en cartón, tarjetas con palabras para formar palabras compuestas, fichas para contar sílabas, tarjetas de prefijos y sufijos.

- Distribuir a los alumnos en parejas o grupos reducidos en mesas pequeñas para que armen y clasifiquen palabras.

- Tener a mano ejemplares de diccionarios y libros con listados de palabras para que los alumnos estudien y aprendan sobre palabras y familias de palabras.

- Ofrecer áreas de exhibición donde encontrar listas de prefijos, sufijos y palabras inventadas por los alumnos.

:ö: Mantener mini-lecciones enfocadas en el esclarecimiento de palabras y el desarrollo de sus significados. Durante estas mini-lecciones se pueden utilizar libros específicos orientados a las palabras que les permitan demostrar el objetivo de la lección.

Las mini-lecciones que ayudarán a los alumnos con el esclarecimiento de palabras podrán incluir los siguientes temas:

Mini-lecciones de esclarecimiento de palabras

:ö: Construir palabras que comiencen o finalicen de la misma manera

:ö: Construir palabras que contengan letras silenciosas

:ö: Construir palabras con contracción

:ö: Construir palabras compuestas

:ö: Construir palabras utilizando prefijos y sufijos

:ö: Construir palabras que suenen igual pero se escriban diferente

:ö: Construir palabras usando raíces latinas o griegas

:ö: Construir palabras que utilicen una rima o parte de una familia de palabras

:ö: Construir palabras monosilábicas

:ö: Construir palabras que tengan la misma cantidad de sílabas

:ö: Clasificar palabras por categorías que los niños puedan descubrir (categorías abiertas) o por categorías determinadas por el docente (categorías cerradas) utilizando un criterio de clasificación por sonidos, deletreo, o significado

:ö: Construir mapas semánticos o redes de significados para organizar las palabras en categorías de significados, como herramientas, colores, acciones, etcétera.

Encontrar la información importante

La lectura efectiva involucra la extracción de información importante. Para ayudar a los niños a desarrollar esta habilidad es necesario mostrarles qué hace y cómo hace un lector. Por ejemplo, el maestro puede pedir a los alumnos que lean un texto con él y que escriban una lista con la información importante. También, al presentarles un nuevo texto durante la lección, puede señalar la información importante para llamar su atención sobre los temas clave. En la biblioteca de aula se puede colocar aparte una pequeña colección de libros que se presten para este trabajo. Los alumnos sentados alrededor de una mesa clasifican tiras de papel con frases del libro en "importantes" y "no importantes". Puede utilizarse una clave de auto-corrección para rever y corregir los resultados de esta clasificación.

Hacer predicciones

A medida que los niños leen, combinan el lenguaje de la página con sus propios conocimientos para ayudarse a predecir qué ocurrirá. Hacer predicciones no es sólo una clave para la comprensión, también ayuda a los lectores a aprender nuevas palabras. Es aconsejable compartir libros con los niños que los motiven a formular hipótesis y a descifrar nuevas palabras.

CAPÍTULO 5

Cómo ayuda la biblioteca de aula a fomentar la lectura independiente

Caso 1: La voz se corrió rápidamente entre los alumnos de quinto grado de la señorita Salcedo: la biblioteca de la escuela recibiría al día siguiente el nuevo libro de Harry Potter, *Harry Potter y el cáliz de fuego* (Rowling, 2000). Muchos de los alumnos ya habían leído los tres primeros tomos de la saga y se mostraban entusiasmados ante la salida del próximo. Los libros anteriores habían sido el centro de las discusiones en clase, en el recreo, en la biblioteca y, en muchos casos, incluso en los hogares. Pero se planteaba el siguiente interrogante: ¿cuántos ejemplares del libro estarían disponibles en la biblioteca? Era obvio que no alcanzarían para satisfacer simultáneamente a todos los que querían leerlo. Fue entonces cuando un alumno les recordó a sus compañeros que tendrían que esperar dos semanas antes de volver a la biblioteca puesto que habían estado allí el día anterior. Entonces, los alumnos se percataron de que todos los ejemplares ya habrían sido prestados para cuando regresaran a la biblioteca y los ánimos se calmaron.

Caso 2: La señorita Vargas recién había finalizado la clase de lectura en voz alta. Su experiencia le había enseñado que, muchas veces, los alumnos deseaban repetir historias que ya habían escuchado, así que se aseguró que hubiera unas cuantas copias del libro en la biblioteca del aula. También había preparado una lista de libros relacionados con el tema que sus alumnos de quinto grado podrían estar interesados en leer por su cuenta. Cuando los alumnos fueron a la biblioteca del aula para seleccionar un libro de lectura voluntaria, muchos de ellos ya tenían en mente qué libros podrían elegir de la lista de sugerencias de la maestra. La señorita Vargas sabía lo importante que es para los alumnos de quinto grado disponer de una amplia franja de géneros para acrecentar su capacidad selectiva. De ahí que su selección para las clases de lectura en voz alta abarque una gran cantidad de géneros. También conciente de la importancia que tiene la inmediatez en la obtención del texto para mantener el interés del lector, se asegura de tener disponibles varias copias extras en la biblioteca del aula.

Estas situaciones representan dos enfoques bien diferentes de los maestros para fomentar el interés de los alumnos en la lectura independiente. La Sra. Salcedo no saca ventaja del alto grado de interés que muestran sus alumnos hacia un texto en particular. Cuando sus alumnos se percatan de que no accederán al libro inmediatamente, expresan una frustración que eventualmente puede convertirse en un desinterés general hacia la lectura. Por otro lado, la señorita Vargas reconoce que sus alumnos deberían tener acceso inmediato a una más amplia variedad de textos en el aula. Ella no solo se asegura que los libros de lectura en voz alta estén disponibles en la biblioteca del aula, sino que también provee la biblioteca para que sus alumnos accedan a otros libros relacionados con el tema a la brevedad.

Está totalmente comprobado que tener acceso a una amplia gama de lecturas en el hogar influye en el éxito del aprendizaje de la lectura en los niños (Neuman, 1999; Clark, 1976; Durkin, 1966; Tobin, 1981). Estos niños tienen mayores probabilidades de convertirse en buenos lectores que los que no tienen acceso. No es de menor importancia, entonces, ofrecerles la posibilidad de ampliar sus experiencias lectoras en el ámbito escolar. Como iremos descubriendo a lo largo de este capítulo, disponer de una bien seleccionada y variada biblioteca de aula fortalece la posibilidad de incentivar a los niños en la lectura independiente.

Por qué es importante que los alumnos participen de la lectura voluntaria

Además del consenso general entre padres, educadores y otros de que la lectura independiente redunda en el aumento y mejora de las habilidades lectoras, está empíricamente comprobada la estrecha correlación entre la lectura voluntaria independiente y los logros obtenidos en el aprendizaje de la lectura (Anderson, Wilson, y

Fielding, 1988; Morrow, 1985). Los niños comprometidos con la lectura voluntaria en los grados intermedios obtienen generalmente más alto rendimiento en comprensión de textos y uso de vocabulario.

Si bien uno de los factores estudiados en esta investigación fue el tiempo destinado a la lectura, también se concluyó que la discusión juega un papel importante en el desarrollo de un vocabulario más sofisticado, de una cultura general más amplia, y la comprensión de cómo las historias se entrelazan y resuelven (Brown y Cambourne, 1987; Gambrel y Almasi, 1996). Así es como la investigación reafirma lo que la intuición y la evidencia anecdótica nos dicen: cuanto más comprometidos están los niños en la lectura independiente y se les brindan mayores oportunidades de discutir y compartir sus lecturas con otros, más importantes serán sus logros y su motivación para continuar leyendo.

Los alumnos con actitud negativa hacia la lectura la ven sólo como una actividad escolar y no una fuente de placer y recreación espiritual para aprender cosas nuevas por sí mismos (Worthy, 1996). La lectura escolar se caracteriza habitualmente por el tiempo limitado del que dispone el alumno para poder seleccionar bien su propio texto, compartir y discutir sobre los libros con sus compañeros y la distracción en labores mundanas que poco o nada tienen que ver con el entorno y los intereses de los alumnos. Sin embargo, estos mismos alumnos puestos a leer sobre tópicos de su interés descubren que estas actividades pueden ser entretenidas y placenteras.

En general, los alumnos tienen pocas probabilidades de elegir lecturas de su gusto ya que muchos maestros permiten la lectura independiente sólo después de haber completado otras tareas de aprendizaje, como ejercicios escritos y cuadernos de actividades, lo cual implica que sólo unos pocos podrán hacer lectura individual regularmente. Pero, a pesar de eso, estas oportunidades pueden motivar e incentivar a los alumnos. Por eso sugerimos a los maestros enfáticamente que intenten dejar espacio curricular para la lectura individual y el debate de los temas leídos.

Un tiempo destinado regularmente a la lectura independiente aumenta la motivación a leer.

Se puede convertir la lectura en un espacio entretenido mostrándole a los niños cuánto le gusta a uno mismo y compartiendo sus preferencias. Aquí mostramos algunas sugerencias para motivar a los alumnos:

Utilice libros para movilizar a los alumnos a leer

☼ **Buenos libros y modelización = lectores insaciables:** El primer paso para capturar a los niños es actuar un personaje durante la lectura en voz alta. El maestro es el primer modelo de lector para sus alumnos. La manera en que lee en voz alta o que habla sobre un libro (comunica lo necesario sobre la trama para tentar a su auditorio) es lo que involucra y crea expectativas en la clase para imitarlo. Además de la lectura cotidiana en voz alta, es fácil aproximarlos a docenas de otros libros cada semana eligiendo, por ejemplo, cinco libros irresistibles por día que se presentan brevemente mediante tan solo una frase, y leyendo en voz alta algunas frases, párrafos, capítulos pertinentes o algunas líneas memorables. Luego se entregan los libros a los niños que tendrán para entonces aguzado su interés. No hay que sorprenderse si se abalanzan gritando "¡Ese es para mí!" También pueden rifarse con gran festejo diciendo: "¡El que adivine el número (o color, ciudad o capital) que estoy pensando en este preciso momento, se lleva el libro para leer!"*

☼ **Día de la risa:** Los alumnos actúan y comparten con sus compañeros los libros que más los divirtieron. El maestro puede comenzar la actividad hablando sobre el libro y leyendo en voz alta algún pasaje en especial que "los haga morir de risa". Luego darles la consigna de buscar en la biblioteca del aula y leer libros que les causen mucha risa. Deben seleccionar un pasaje de no más de media página para leerles al resto de la clase. Este fragmento debe mostrar a sus compañeros cuán gracioso es el libro. Ese día asignado como "Día de la risa" se colocan las mesas juntas o las sillas en círculo. En esta mesa redonda de lectores, al estilo Rey Arturo, se podrán ver todos y conectarse a través del humor. Antes de que se den cuenta estarán todos buscando para leer los libros recomendados por sus amigos en la biblioteca del aula.*

☼ **Libros para una isla desierta:** Una de mis charlas favoritas sobre libros es "Libros para llevar a una isla desierta."Después de contarles a mis alumnos de quinto grado los libros que llevaría conmigo si fuera desterrado a una isla desierta, les asigno una tarea. Tienen una semana para preparar una charla de medio minuto sobre su libro favorito y además deben venir con ropa adecuada para la ocasión. Decoro la mesa redonda con objetos relacionados con una isla: plantas, conchillas marinas, cubo y palas de playa, una manta, y hasta una sombrilla. Los niños se divierten inmensamente al presentarse en sandalias, con anteojos de sol y sombreros de paja.
En una clase, una niña se vistió con una vieja pollera de hierba sobre sus jeans; fue desparramando la hierba por el piso a lo largo del día hasta quedar con sólo un elástico alrededor de su cintura. Siempre disfrutamos un hermoso ambiente tropical celebrando los libros en nuestro " Día de la isla desierta."*

☼ **El estante "¿Que hay de nuevo?":** Cuando llegan libros nuevos, tanto si son compras hechas por mí o pedidos de la escuela, suelo hacer una rápida promoción diciendo brevemente algo sobre estos libros y luego los coloco en el estante especial. Este estante tiene, por supuesto, una ubicación especial y destacada. También suelo presentar de esta forma las canastas temáticas, en las cuales junto material de temas afines y lo promociono de manera especial. Al hacer este tipo de cosas los niños se sienten atraídos por curiosidad y esto los anima a intentar lecturas nuevas.**

*Judy Freeman, Consultora de literatura infantil, columnista de *Book Talk* para la revista *Instructor y autora de More Books Kids Will Sit Still For* (Bowker/Greenwood, 1995)

**Diane Mines, maestra de primer grado, Dutch Neck School, Princeton Junction, NJ

Celebrando los libros del "Día de la isla desierta"

Cómo la motivación a la lectura voluntaria está influenciada por la inmediatez en la obtención del texto

 Hace ya más de 30 años, Bisset (1969) descubrió que los niños que tenían libros a su alcance en el aula leían 50% más que aquellos que no los tenían. Las investigaciones se dirigían siempre hacia la motivación e interés en la lectura.

Algunos investigadores (Turner y Paris, 1995; Gambrell, 1996) realizaron encuestas para clasificar qué tipo de aula estimula más a los alumnos para convertirse en lectores activos. Las características que emergieron están resumidas al pie. Basados en nuestra propia experiencia y estas investigaciones, creemos que la clave para motivar al lector es la disponibilidad de un gran número de ejemplares de distinto tipo al alcance de la mano.

Factores que motivan la lectura

- La libre elección del material de lectura y las actividades de seguimiento

- El control del alumno sobre sus propias experiencias de aprendizaje

- El acceso a una amplia gama de material de lectura dentro del aula

- Las oportunidades para poder compartir con otros información sobre sus lecturas

- Las recomendaciones de libros entre pares y la socialización a través de éstos

- Maestros que sirven de modelos en la lectura en voz alta, la lectura compartida, la lectura guiada y su propia lectura independiente

- La oportunidad de compartir éxitos y fracasos en la lectura

- Los incentivos apropiados para la educación alfabética, tales como libros, revistas, lápices, lapiceras, marcadores y anotadores

El papel de la biblioteca de aula para fomentar y estimular la lectura voluntaria

 Como se vio en el capítulo 1, una biblioteca funcional debe cumplir con ciertos requisitos: asientos cómodos, privacidad y tranquilidad, exposición de libros y carteles, estantes de fácil acceso y una oferta variada en materia de géneros literarios y de niveles de aprendizaje (Para una descripción más detallada de estos y otros requisitos, remitirse al capítulo 1). En caso de no respetarse estos requisitos, se verán reducidas las posibilidades de que la biblioteca permita fomentar la lectura voluntaria. Una biblioteca diseñada en forma inteligente integra todo lo que sabemos sobre la promoción de la lectura.

El acceso a una amplia variedad de materiales de lectura fomenta la lectura independiente

Concentrarse en un aspecto de la biblioteca de aula funcional: las preferencias del alumno

Para ejemplificar, vamos a concentrarnos en las preferencias del alumno. Si se organiza la biblioteca teniendo en cuenta sus centros de interés, se puede llegar a atraer a los lectores reticentes. Worthy (1996) acompañó a un grupo de lectores reticentes de 6° grado en sus visitas a la biblioteca. Los entrevistó y pudo determinar que sus lecturas preferidas eran las historias y novelas de horror, las tiras, las revistas —y otras publicaciones— de deporte, los libros para colorear, las series y las revistas conocidas. Dotar a la biblioteca de este tipo de material de lectura permite tener en cuenta las preferencias de los lectores e incrementar su interés.

En el caso que presentamos en la próxima página dos maestros comparten el mismo objetivo, enseñarles a los niños a ser lectores ávidos e independientes, pero sólo una de ellas aprovecha al máximo el potencial de la biblioteca de aula y logra alcanzar su objetivo.

Identificar los intereses de los alumnos

¿Cómo se logra identificar los intereses de los alumnos para luego volcarlos en la organización de una biblioteca de aula funcional, que estimule la lectura independiente? Recomendamos varias métodos.

Entrevistas e inventarios

Uno de los métodos más simples es la entrevista. Existen diferentes modelos de entrevista que puede elegir el maestro, algunos de los cuales presentamos más abajo, que pueden usarse como punto de partida para entrevistas individuales o distribuirlos en clase para que los alumnos respondan por escrito.

Se puede orientar la entrevista hacia el material de lectura con un inventario de las lecturas preferidas o se puede optar por un cuestionario más general. Tanto uno como otro brindará al maestro valiosa información sobre los intereses y las necesidades de sus alumnos.

LA ENSEÑANZA EN ACCIÓN: *Dos maestros: El mismo objetivo pero distinto resultado*

El Sr. Pérez es un maestro de 5º grado que desea que sus alumnos disfruten de la lectura. Intenta leerles los mejores capítulos a los niños cada día y se asegura de que puedan ir a la biblioteca de la escuela una vez por semana, sin falta. El director les ha hecho saber a los docentes que los alumnos deberían tener la oportunidad de leer todos los días. Por consiguiente, el Sr. Pérez comienza su clase todos los días con lectura silenciosa. A pesar de esto, el Sr. Pérez cree que no siempre el tiempo es bien utilizado ya que muchos alumnos no leen y él debe estar permanentemente llamándoles la atención para que no molesten y recuerden que deben traer un libro para leer todos los días. Aun cuando comparte la idea de la importancia de la lectura independiente, no logra que sus alumnos se interesen, sin tener que estar constantemente estimulándolos.

La Srta. Mejía, por otro lado, ha logrado hacer leer a sus alumnos con gran éxito. Al iniciar el año les hizo responder a los alumnos el cuestionario sobre las lecturas favoritas. Gracias al inventario notó que sus alumnos tenían una amplísima gama de preferencias, tales como revistas, diarios, tiras cómicas, libros con fotografías y novelas. Ella sabe muy bien que concurriendo a la biblioteca de la escuela una vez por semana se pierde el interés a lo largo del tiempo, por este motivo comenzó a expandir su biblioteca de aula en estos últimos años. Logró así formar una biblioteca de aula de cerca de 350 volúmenes, al alcance de la mano. Aún así por las respuestas de sus alumnos comprende que necesita ampliar aún más la franja temática. Comienza entonces a juntar tiras cómicas y revistas que pueden ser del agrado de sus alumnos y que complementarán el gusto de los padres. Descubre también que el periódico local estará deseoso de colaborar donando varias copias del diario por día para la escuela. Esto no solo la provee de nuevo material semanal para su biblioteca, sino que además impulsa a los niños en su lectura.

La Srta. Mejía considera un punto de especial importancia incluir en la biblioteca de aula los trabajos escritos por los chicos. Esto provoca, demás está decirlo, un enorme interés a la hora de trabajar en las actividades de escritura. Además ha implementado dentro del curriculum de aprendizaje de rutina módulos más prolongados para la lectura en silencio en distintos momentos durante el día. Les asigna tiempo para que puedan compartir sus lecturas con los compañeros. A medida que el año avanza, en algunas ocasiones debe hacer algunos cambios menores en las rutinas, pero está muy conforme con el interés y participación de sus alumnos en la lectura independiente.

INVENTARIO DE LECTURAS PREFERIDAS
(Ejemplo 1)

Me gusta ...	A menudo		A veces		Nunca
1. Leer sobre personas que tienen problemas reales.	5	4	3	2	1
2. Las historias con claves para resolver misterios.	5	4	3	2	1
3. Leer poesía.	5	4	3	2	1
4. Los libros con muchas ilustraciones.	5	4	3	2	1
5. Las historias de amor.	5	4	3	2	1
6. Los cuentos fantásticos y las leyendas.	5	4	3	2	1
7. Las historias humorísticas.	5	4	3	2	1
8. Las historias sobre animales.	5	4	3	2	1
9. Las historias de fantasía sobre viajes espaciales.	5	4	3	2	1
10. Los libros sobre personajes importantes.	5	4	3	2	1
11. Las historias deportivas.	5	4	3	2	1
12. Leer obras de teatro.	5	4	3	2	1
13. Los libros de Ciencias.	5	4	3	2	1
14. Las historias sobre gente del pasado.	5	4	3	2	1
15. Las aventuras que transcurren en escenarios naturales.	5	4	3	2	1
16. Las historias con personajes, criaturas y cosas irreales.	5	4	3	2	1
17. Leer cuentos con personajes de historieta.	5	4	3	2	1
18. Leer revistas de actualidad.	5	4	3	2	1
19. Leer el periódico.	5	4	3	2	1

INVENTARIO DE LECTURAS PREFERIDAS
(Ejemplo 2)

Nombre del alumno: _____

Contesta cada una de estas preguntas:

1. ¿Qué te gusta hacer en tu tiempo libre?
   _____

2. ¿Prefieres ver deportes o ir al zoo?
   _____

3. ¿Prefieres ir a una tienda de discos o a una librería?
   _____

4. ¿Prefieres escribir sobre personajes imaginarios o descubrimientos científicos hechos por astronautas?
   _____

5. ¿Cuál es tu programa favorito de TV?
   _____

6. ¿Cuando estás con tus amigos qué actividad prefieres hacer?
   _____

7. ¿En qué actividades o pasatiempos te destacas?
   _____

La rueda de géneros literarios

En muchas ocasiones los alumnos no logran identificar sus intereses. En estos casos el maestro debería darles la oportunidad de elegir dentro de una amplia lista de géneros literarios. Puede utilizarse para esto una rueda de géneros como la que se observa aquí, para ayudar a los niños a descubrir las variadas opciones de lectura de que disponen.

Cada vez que un niño completa una lectura lo alentamos a marcar en el gráfico su "porción" del género elegido. Supuestamente, no deberían elegir la porción del

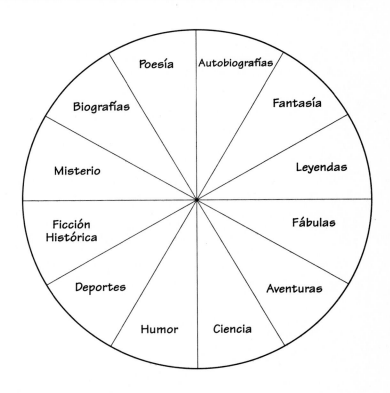

mismo género hasta no haber completado todo el "pastel". De esta manera, los niños se verán impulsados por esta vía a elegir temas que no han explorado todavía y su atención se enfocará hacia otras áreas.

Además de proveer a cada alumno con su copia de la rueda, también se puede hacer una versión de mayor tamaño para desplegar dentro de la biblioteca del aula.

Como cartel se lo puede usar de distinta manera. Se lo puede colorear para mostrar las preferencias de género de toda la clase o también para que cada alumno escriba en cada porción los títulos que ha leído.

Tener libros de todos los géneros y un rincón confortable para leer es un gran comienzo para la biblioteca de aula.

Incluir libros que representen todos los géneros

Para lograr que este gráfico tenga éxito es imprescindible tener a mano una gran cantidad de textos para facilitarle a los alumnos sus elecciones. Luego, por supuesto, se debe proveer continuamente nuevo material.

Para orientar a los alumnos frente a la oferta de títulos y géneros literarios de la biblioteca de aula, se puede recurrir a las actividades que se muestran en la página siguiente.

Los recipientes de cada género pueden ser descubiertos paulatinamente, a medida que éstos se presentan.

Ayudar a los alumnos a elegir

❀ **Espacios de lectura:** Retomo la idea de "espacio de lectura" de Nancy Atwell y la adapto a mi situación de clase. Los alumnos vuelcan en una hoja los espacios de lectura que descubrieron. Anotan géneros y favoritos (autores, historias, poemas, libros de ilustraciones, relecturas, etc.). Esto les permite estructurar sus elecciones y ver qué han leído hasta ahora y qué planean leer en el futuro. Yo también participo y hago mi lista. A medida que voy anotando, los alumnos se muestran sorprendidos ante la cantidad y la variedad de obras y autores que he leído.

Desde que hago este ejercicio, siempre ha sido un éxito rotundo. Es una excelente herramienta de enseñanza y permite que los alumnos reflexionen sobre sus lecturas y las organicen, a la vez que abren sus mentes.

❀ **Cómo mantener el suspenso y enseñar al mismo tiempo:** En mi biblioteca de aula cada canasta corresponde a un género literario. Si bien es importante que los alumnos de cuarto grado conozcan los diferentes géneros literarios, me he dado cuenta que por lo general no los identifican ni entienden los conceptos que suponen. Por eso, cada año, cubro los carteles que identifican los canastos y los voy develando uno a uno. Para cada género, hago una breve presentación y dejo que los alumnos descubran poco a poco los libros, permitiéndoles elegir material de ese canasto únicamente, hasta que asimilan bien el género, y así sucesivamente.

Jean Turner, maestra de 4° grado, Mt Loafer Elementary School, Salem, UT

Incluir libros que representen la diversidad étnica y cultural

Incluir obras que representan a diferentes culturas en la biblioteca del aula es otra forma de responder a los intereses y necesidades de los alumnos. Así podrán, no sólo mejorar su capacidad de lectura, sino también tomar conciencia de sí mismos y de aquellos que los rodean. Dado que éste es un factor clave para los alumnos a la hora de elegir libros para la biblioteca, proponemos a continuación algunos criterios para orientarse en la selección de material.

Recomendamos, además, la siguiente lista de orientación en la búsqueda de textos para la biblioteca del aula que representen mejor la diversidad cultural y étnica (Pang, Cobin, Tran y Barba, 1992). Estos libros deberían incluir:

❀ Un tema de pluralismo cultural
❀ Personajes que estén retratados de manera positiva
❀ Ilustraciones genuinas
❀ Una historia con personajes fuertes y una trama de peso
❀ Una historia con datos históricos precisos

Integrar la biblioteca de aula en la enseñanza fomenta la lectura independiente

Muchas escuelas brindan oportunidades a los alumnos a lo largo del día para que lean en forma independiente. Según cada escuela, se lo denomina de manera diferente: "dejar todo y leer", "lectura silenciosa sostenida e ininterrumpida" o "lectura silenciosa". En general, la nomenclatura más empleada para referirse a la lectura independiente es "lectura silenciosa sostenida". Como se mencionó en el capítulo 4, esta actividad forma parte del taller de lectura. Se la puede incluir en la clase, ya sea en el marco del taller o bien como actividad independiente.

Gracias a la lectura silenciosa sostenida, los alumnos desarrollan la comprensión y el compromiso con la lectura. Los beneficios que aporta esta actividad son tan importantes como los asociados a la enseñanza de habilidades para la lectura. Además, cuando se introduce la lectura por placer en el marco de la actividad de lectura silenciosa sostenida, los alumnos tienen la sensación de trabajar menos duro que durante una clase de aprendizaje de habilidades tradicional (Pilgreen, 2000).

Uno de los desafíos que supone la lectura silenciosa es cómo estimular a los alumnos para que participen activamente sin derrochar tiempo. Muchos maestros no intervienen cuando un alumno no está aprovechando el tiempo de lectura independiente temiendo desconcentrar a aquellos que sí lo están haciendo. Sin embargo, una intervención puntual del maestro puede motivar a los alumnos desganados. En la siguiente página les presentamos algunas herramientas para estimular a los lectores menos motivados.

Mini-lección modelo

LECCIÓN: *Cómo utilizar la biblioteca de aula para lograr que los niños menos interesados se involucren durante la lectura silenciosa*

Objetivo: Brindar apoyo a los niños que no se comprometen en el período de lectura silenciosa.

Recursos necesarios: un listado de preferencias para el niño individualizado; una biblioteca de aula bien provista.

Modelizar e instruir:

❖ Identificar a los alumnos que habitualmente no participan de la lectura silenciosa.

❖ Hacer un inventario con cada alumno para establecer cuáles son los intereses de él o ella.

❖ Convocar a ese niño a acercarse mientras sus compañeros estén en lectura silenciosa.

❖ Al comenzar la charla con ese alumno, hacerle preguntas sobre temas como éstos:

¿Qué libros te gusta leer?

¿Cómo te sientes con respecto al libro que te ha tocado leer durante la lectura silenciosa?

¿Es demasiado fácil, demasiado difícil o apropiado?

¿Puedes describir lo que te ha tocado leer hoy?

¿Has tenido experiencias similares a las de los personajes?

¿Cuál fue tu personaje favorito?

¿Qué aprendiste de nuevo en esta lectura?

¿Qué piensas que le ocurrirá al personaje de tu libro en la parte que leerás mañana?

❖ Una vez establecido qué tipo de libros le interesan al alumno, llevarlo a la biblioteca del aula y ayudarlo a seleccionar un libro u otro material apropiado para lectura independiente...

❖ Continuar en contacto y comentar con el alumno sobre las elecciones diarias de lectura a lo largo de la semana. Si el alumno no se está mostrando interesado, ayudarlo a elegir otro material de acuerdo con las preferencias ya conocidas.

Monitorear el progreso: Prestar especial atención al alumno durante varias semanas y brindarle todo el apoyo que necesite.

Reflexiones finales

Hace algunos años, y gracias a un trabajo conjunto con maestros, nos dimos cuenta de que la organización y el manejo del aula eran excelentes, a excepción de un factor: no se le daba importancia a la biblioteca de aula. Era una colección caótica de libros comprados de ocasión y donados, que ocupaban un único estante y cumplían un papel de relleno en la enseñanza.

Tomando como punto de partida estas observaciones y nuestras investigaciones sobre las estrategias de selección de lectura de los niños, emprendimos un viaje que culmina con las enseñanzas recogidas y plasmadas en este libro. En este viaje pudimos aprender, compartir y trabajar codo a codo con maestros, bibliotecarios y otros profesionales de la docencia.

Ahora, cuando regresamos a esas mismas escuelas, vemos que la biblioteca ocupa un lugar preponderante en la enseñanza. Nos encontramos frente a un espacio agradable, bien organizado, iluminado y decorado. Las estanterías están correctamente organizadas y señalizadas. Y, lo que es aún más gratificante, se puede observar el creciente compromiso de los alumnos. Fue un privilegio ser testigos de la creación y el posterior desarrollo de estas bibliotecas de aula.

Para concluir, no olvidemos que el silencio en clase no es necesariamente sinónimo de lectura productiva. En este libro se demostró que, en muchas ocasiones, las más valiosas experiencias de aprendizaje de la lengua son el fruto de la interacción de los alumnos entre sí y con el material de lectura (Kasten, 1997). Creemos que la creación de un entorno de aprendizaje con acento en la interacción puede ser benéfico para el desarrollo lingüístico del alumno (Vygotsky, 1978). Vimos que si se estimula el intercambio de ideas entre alumnos sobre sus lecturas respectivas, se logra fomentar la lectura (Kiskinen, Palmer, Codling y Gambrell, 1994).

Esperamos que el contenido de este libro les permita aumentar el potencial educativo de su biblioteca de aula, adquirir conocimientos sobre temas variados, estimular y hacer que sus alumnos se comprometan con el aprendizaje y mejoren su rendimiento en lectura. Les deseamos lo mejor y los invitamos a compartir con nosotros las impresiones de sus viajes hacia una biblioteca de aula con un mayor potencial educativo.

Bibliografía de referencia

Allington, R.L. *What Really Matters for Struggling Readers: Designing Research-based Programs.* New York: Addison Wesley Longman, 2001.

Anderson, R. C., Wilson, P. T., and Fielding, L. G. "Growth in Reading and How Children Spend Their Time Outside of School." *Reading Research Quarterly* 23 (1988): 285–303.

Atwell, N. *In the Middle: Writing, Reading, and Learning With Adolescents.* Portsmouth, NH: Heinemann, 1987.

Austin, M.C., and Morrison, C. *The First R: The Harvard Report on Reading in Elementary Schools.* New York: Macmillan, 1963.

Baker, S.L. "Overload, Browers, and Selections." *Library and Information Science Research* 8 (1986): 315–319.

Barrentine, S. J. "Engaging With Reading Through Interactive Read Alouds." *The Reading Teacher* 50, no. 1 (1996): 36–43.

Barrett, F. L. *A Teacher's Guide to Shared Reading.* Richmond Hill, Ontario, Canada: Scholastic-TAB Publications, 1982.

Bissett, D. "The Amount and Effect of Recreational Reading in Selected Fifth-Grade Classes." Doctoral dissertation, Syracuse University, 1969.

Brown, H. and Cambourne, B. *Read and Retell: A Strategy for the Whole-Language/Natural Learning Classroom.* North Ryde, NSW: Methuen Australia, 1987.

Brown, R. "A Library Is More Fun If It's Yours!" *Media and Methods, 50,* no. 1 (1978): 94–96.

Butler, C. "When the Pleasurable is Measurable." *Language Arts* 57, no. 8 (1980): 882–885.

Calkins, L. M., and Harwayne, S. *The Writing Workshop: A World of Difference.* Portsmouth, NH: Heinemann Educational Books, 1987. Video.

Calkins, L. *The Art of Teaching Writing* (new ed.). Portsmouth, NH: Heinemann Educational Books, 1994

Campbell, R. *Read Alouds With Young Children.* Newark, DE: International Reading Association, 2001.

Clark, M. M. *Young Fluent Readers.* London: Heinemann Education, 1976.

Cooper, J. D. *Literacy: Helping Children Construct Meaning,* Third Edition. Boston, MA: Houghton Mifflin Company, 1997.

Daniels, H. *Literature Circles: Voice and Choice in the Student-Centered Classroom.* Portland, ME: Stenhouse Publishers, 1994

Darling-Hammond, L. *The Right to Learn: A Blueprint for Creating Schools That Work.* San Francisco: Jossey-Bass, 1997.

Donovan, C. A., Smolkin, L. B., and Lomax, R. G. "Beyond the Independent-Level Text: Considering the Reader-Text Match in First Graders' Self-Selections During Recreational Reading." *Reading Psychology: An International Quarterly* 21 (2000): 309–333.

Durkin, D. *Children Who Read Early: Two Longitudinal Studies.* New York: Teachers College Press, 1966.

Ehri, L. C., and Sweet, J. "Fingerpoint-Reading of Memorized Text: What Enables Beginners to Process the Print?" *Reading Research Quarterly* 26 (1991): 442–462.

Fischer, P. "The Reading Preference of Third-, Fourth-, and Fifth-graders." *Reading Horizons* 16 (1988): 62–70.

Fitzgerald, J. "English-as-a-Second-Language Learners' Cognitive Reading Processes: A Review of Research in the United States." *Review of Educational Research* 65 (1995): 145–190.

Fountas, I.C., and Pinnell, G.S. *Guided Reading: Good First Teaching for All Children.* Portsmouth, NH: Heinemann Educational Books, 1996.

Fountas, I.C., and Pinnell, G.S. *Leveled Books for Readers, Grades 3–6: A Companion Volume to Guiding Readers and Writers.* Portsmouth, NH: Heinemann Educational Books, 2001.

Fountas, I.C., and Pinnell, G.S. *Matching Books to Readers: Using Leveled Books in Guided Reading, K–3.* Portsmouth, NH: Heinemann Educational Books, 1999.

Fractor, J.S., Woodruff, M.C., Martinez, M. G, and Teale, W. H. "Let's Not Miss Opportunities to Promote Voluntary Reading: Classroom Libraries in the Elementary School." *The Reading Teacher* 46, (6) (1993): 476–484.

Freeman, Y.S., and Freeman, D. E. *Whole Language for Second Language Learners.* Portsmouth, NH: Heinemann Educational Books, 1992.

Gambrell, L. B. "Creating Classroom Cultures That Foster Reading Motivation." *The Reading Teacher* 50, no. 1 (1966): 14–25.

Gambrell, L. B. "It's Not Either/Or but More: Research Concerning Fictional and Nonfictional Reading Experiences to Improve Comprehension." Paper presented at the 46th Annual Convention of the International Reading Association, New Orleans, LA, April, 2001.

Gambrell, L. B., and Almasi, J. F. *Lively Discussions!: Fostering Engaged Reading.* Newark, DE: International Reading Association, 1996.

Goldenberg, C. "Making Schools Work for Low-Income Families in the 21st Century." *Handbook of Early Literacy Research*, eds. S. B. Neuman and D.K. Dickinson. New York: Guilford Press, 2001.

Hancock, J. and Hill, S. *Literature-Based Reading Programs at Work*. Portsmouth, NH: Heinemann Educational Books, 1998.

Hartman, D. K. "Eight Readers Reading: The Intertextual Links of Proficient Readers Reading Multiple Passages." *Reading Research Quarterly* 30 (1995): 520–561.

Hepler, S. "Creating a Classroom Library: Getting Started." *Learning* 92, 21, no. 2 (1992): 95–106.

Hiebert, E. H., Mervar, K.B., and Person, D. "Research Directions: Children's Selection of Trade Books in Libraries and Classrooms." *Language Arts* 67, (1990): 758–763.

Hoffman, J.V. Roser, N.L. and Battle, J. "Reading Aloud in Classrooms: From The Modal Toward the 'Model.'" *The Reading Teacher* 46, no. 6 (1993): 496–503.

Holdaway, D. "Shared Book Experience: Teaching Reading Using Favorite Books." *Theory Into Practice* 21 (1981): 293–300.

Holdaway, D. *The Foundations of Literacy*. Sydney, Australia: Ashton Scholastic, 1979.

Huck, C. *Children's Literature in the Elementary School,* Third Edition. New York: Holt, Rinehart and Winston, 1979.

Kasten, W. C. "Learning Is Noisy: The Myth of Silence in the Reading-Writing Classroom," 88–101. In *Peer Talk in the Classroom: Learning From Research*, J. R. Paratore and R. L. McCormack (eds.), Newark, DE: International Reading Association, 1997.

King, E. M. "Critical Appraisal of Research on Children's Reading Interest, Preferences, and Habits." *Canadian Education and Research Digest,* (December, 1967): 312–316.

Koskinen, P. S., Palmer, B. M., Codling, R. M., and Gambrell, L. B. (eds.). "In Their Own Words: What Elementary Students Have to Say About Motivation to Read." *The Reading Teacher* 48 (1994): 176–178.

Kotch, L. and Zackman, L. *The Author Studies Handbook, Grades K–8.* New York: Scholastic Inc., 1990.

Kurstedt, R. and Koutras, M. *Teaching Writing with Picture Books as Models.* NY: Scholastic Inc., 2000.

Mervar, K. B. *"Amount of Reading In and Out of School and Book-Selection Skills of Second-Grade Students in Textbook-Based and Literature-Based Programs."* Doctoral dissertation, University of Colorado, Boulder, 1989.

Mooney, M. E. *Reading to, With, and by Children.* Katonah, NY: Richard C. Owens, 1990.

Morrow, L. M. "Developing Young Voluntary Readers: The Home—the Child—the School." *Reading Research and Instruction* 25, no. 1 (1985): 1–8.

Morrow, L. M. "Relationships Between Literature Programs, Library Corner Designs, and Children's Use of Literature." *Journal of Educational Research* 76, Jul–Aug. (1982):339–44.

Morrow, L.M., and Simon, C. S. "Encouraging Voluntary Reading: The Impact of a Literature Program on Children's Use of Library Centers." *Reading Research Quarterly* 21, no. 3 (1986): 330–346.

National Institute of Child Health and Human Development. R*eport of the National Reading Panel: Teaching Children to Read, an Evidence-based Assessment of the Scientific Research Literature on Reading and Its Implications for Reading Instruction* (NIH pub. NO. 00-4769). Washington, DC: U.S. Government Printing Office, 2000.

Neuman, S. B. *The Importance of Classroom Libraries.* New York: Scholastic, Inc., 2000.

Neuman, S.B. "Books Make a Difference: A Study of Access to Literacy." *Reading Research Quarterly* 34 (1999): 286–311.

Ohlhausen, M.M., and Jepsen, M. "Lessons from Goldilocks: 'Somebody's Been Choosing My Books but I Can Make My Own Choices Now!'" *New Advocate* 5, no. 1 (1992): 31–46.

Opitz, M.F. "Cultural Diversity + Supportive Text = Perfect Books for Beginning Readers." *The Reading Teacher,* 52, no. 8 (1999): 888–898.

Pang, V.O., Colvin, C., Tran, M., and Barba, R.H. "Beyond Chopsticks and Dragons: Selecting Asian-American Literature for Children." *The Reading Teacher, 46,* no. 3 (1992): 216–224.

Pilgreen, J. L. *The SSR Handbook: How to Organize and Manage a Sustained Silent Reading Program.* Portsmouth, NH: Heinemann Educational Books, 2000.

Pinnell, G.S., and Fountas, I.C *Leveled Books for Readers Grades 3–6: A Companion Volume to Guiding Readers and Writers.* Portsmouth, NH: Heinemann Educational Books, 2002.

Reutzel, D. R. (1995). "Fingerpoint-Reading and Beyond: Learning About Print Strategies (LAPS)." *Reading Horizons* 35, no. 4 (1995): 310–328.

Reutzel, D. R. and Fawson, P.C. "Using a Literature Webbing Strategy Lesson With Predictable Books." *The Reading Teacher* 43, no. 3 (1989): 208–215.

Reutzel, D. R., and Cooter, R. B., Jr. "Organizing for Effective Instruction: The Reading Workshop." *The Reading Teacher* 44, no. 8 (1991): 548–555.

Reutzel, D. R., and Cooter, R. B. *Teaching Children to Read: Putting the Pieces Together*, Third Edition. Upper Saddle River, NJ: Merrill/Prentice-Hall, 2000.

Reutzel, D. R., and Gali, K. "The Art of Children's Book Selection: A Labyrinth Unexplored." Paper presented at the International Reading Association Conference, Toronto, Canada, 1996.

Reutzel, D. R., and Gali, K. "The Art of Children's Book Selection: A Labyrinth Unexplored. *Reading Psychology* 19, no. 1 (1998): 3–50.

Robb, L. *Teaching Reading in Middle School.* NY: Scholastic Inc., 2000.

Rosenblatt, L. *"The Reader, the Text, the Poem."* Carbondale, IL: Southern Illinois Press, 1978.

Schulman, M.B. and Payne, C. D. *Guided Reading: Making It Work.* NY: Scholastic Inc., 2000.

Short, K.G., Harste, J. C. and Burke, C. *Creating Classrooms for Authors and Inquirers.* Second Edition. Portsmouth, NH: Heinemann Educational Books, 1995.

Siegel, M. "Reading as Signification." Doctoral dissertation. Indiana University, 1983.

Taylor, D. *Family Literacy: Young Children Learning to Read and Write.* Portsmouth, NH: Heinemann Educational Books, 1983.

Teale, W.H., and Martinez, M. "Teachers Reading to Their Students: Different Styles, Different Effects?" ERIC Document Reproduction Service. 269 754, 1986.

Timion, C. S. "Children's Book-Selection Strategies." *Reading and Writing Connections: Learning From Research*, eds. J. W. Irwin and M. A. Doyle. Newark, DE: International Reading Association, 1992.

Tobin, A. W. "A Multiple Discriminant Cross-Validation of the Factors Associated With the Development of Precocious Reading Achievement." Doctoral dissertation, University of Delaware, Newark, 1981.

Tunnell, M. O. and Jacobs, J. S. *Children's Literature, Briefly*. Upper Saddle River, NJ: Prentice-Hall, Inc, 2001.

Turner, J., and Paris, S. G. "How Literacy Tasks Influence Children's Motivation for Literacy." *The Reading Teacher* 48, no. 8 (1995): 662–673.

Veatch, J. (1968). *How to Teach Reading with Children's Books*. New York: Richard C. Owen.

Vygotsky, L. S. *Mind in Society: The Development of Higher Psychological Processes*. Cambridge, MA: Harvard University Press, 1978.

Wendelin, K. H. and Zinck, R. A. "How Students Make Book Choices." *Reading Horizons* 23, no.2 (1983): 84–88.

Worthy, J. "Removing Barriers to Voluntary Reading for Reluctant Readers: The Role of School and Classroom Libraries." *Language Arts* 73 (1996): 483–492.

Mis experiencias

Lista para monitoreo de lectura independiente

Observaciones	Notas del maestro
REGISTRO DE LIBROS	
Cantidad de libros	
Variedad de títulos	
LECTURA INDEPENDIENTE	
Selecciona libros sin ayuda	
Comienza la lectura sin demoras	
Se guía solo antes de pedir ayuda a compañeros o maestros	
Muestra agrado en leer artículos periodísticos y proyectos	
TRABAJO ESCRITO	
Crítica literaria	
Ensayos	
Proyectos	
Registro de diálogos	
TRABAJO ORAL	
Charlas sobre libros	
Fluidez lectora	
Errores en la lectura	
NOTAS ADICIONALES Y PREGUNTAS:	

De 35 *Must-have Assessment & record-Keeping Forms for Reading* de Laura Rabb (Scholastic Professional Books, 2001)
Scholastic LIBROS PARA DOCENTES

Nombre_____ Fecha _____

Cuando anoto en mi cuaderno de lectura

Pienso en ideas y cuestiones interesantes sobre las cuales escribir.

- ❀ Hago predicciones.
- ❀ Escribo mis opiniones sobre partes que no entendí.
- ❀ Relaciono lo que leo con algo que me sucedió.
- ❀ Copio alguna línea o frase en particular que me pareció bien escrita.
- ❀ Comparo historias y personajes.
- ❀ Digo por qué elegí o abandoné determinado libro.
- ❀ Comento sobre alguna técnica que aprendí del autor y quiero probar en mis propias historias.

Demuestro que comprendo elementos literarios.
(trama, escenario, evolución del personaje y tema)

- ❀ Describo las características del personaje (egoísta, servicial, tímido, amistoso, etcétera) y doy ejemplos de la historia que avalan mi opinión.
- ❀ Explico cómo y por qué un personaje cambia.
- ❀ Describo el nudo de la historia y su resolución.
- ❀ Describo el escenario (dónde y cuándo se desarrolla la acción).
- ❀ Escribo sobre la temática de la historia (idea principal o mensaje del autor).

Describo los estilos literarios de los autores.

- ❀ Digo lo que me agrada de la manera de escribir de un autor.
- ❀ Comparo libros de distintos autores.
- ❀ Copio las descripciones del autor que son muy visuales en mi imaginación.
- ❀ Transcribo líneas de una historia que muestran el estilo del autor.

Comento sobre mí mismo como lector.

- ❀ Escribo sobre mis libros y autores favoritos.
- ❀ Describo las historias que recuerdo de mi niñez.
- ❀ Escribo sobre una experiencia que haya tenido en una biblioteca, una librería o una feria de libros.
- ❀ Escribo sobre las formas en que he cambiado como lector.
- ❀ Describo mis hábitos de lectura, dónde, cuándo y cómo me gusta leer.
- ❀ Escribo sobre las personas —familia, amigos, maestros— que me han influenciado en la lectura.

— De *40 Rubrics & Checklists to Assess Reading and Writing* de Adele Fiderer (Scholastic Professional Books, 1999)

Nombre_____ Fecha _____

Exposición oral para los compañeros

Nuestra charla fue el día _____ **dada por:**
(fecha)

Nombre: _____

Nombre: _____

Título y autor: _____

Marca lo más destacado de la charla:

_____ Relato de un capítulo o de todo el libro

_____ Cambios del personaje principal del comienzo al fin

_____ Problemas que el personaje principal tuvo que afrontar y cómo los solucionó

_____ Conflictos y resoluciones

_____ Personaje y/o situaciones con los cuales el lector se conecta y por qué

_____ Tratamiento del género literario empleado y la estructura del mismo

_____ Cuestionamientos (anota las cuestiones que se discutieron)

_____ Visualización de partes de la historia

_____ Confirmación y reajuste de predicciones

_____ Discusión de la nueva información y las palabras nuevas que encontró el lector

_____ Las ilustraciones

_____ Los escenarios

_____ Reacciones ante el desenlace u otros pasajes del libro

Lista preparatoria

_____ Vine con mi libro

_____ Traje mi lápiz

Anota los puntos principales de la discusión:

_____

_____

_____

De 35 Must-have Assessment & record-Keeping Forms for Reading de Laura Rabb (Scholastic Professional Books, 2001)

Nombre_____ Fecha _____

¡Qué personaje!

Título del libro: _____

Nombre del personaje:_____

Encierra en un círculo seis características del personaje de las que aparecen abajo que pienses que describen mejor al personaje elegido. En una hoja aparte, define cada característica. Debajo de cada definición escribe una oración usando la palabra, y que explique por qué describe al personaje. Abrocha esta página a la hoja con tus oraciones.

enojado	saludable	leal	sensato
angustiado	solidario	metódico	serio
contemplativo	honesto	modesto	sincero
energético	esperanzado	motivado	sociable
entusiasta	humilde	sin prejuicios	espontáneo
justo	humorista	optimista	decidido
firme	imaginativo	práctico	obstinado
flexible	individualista	resuelto	tenaz
comprensivo	independiente	prudente	minucioso
franco	productivo	realista	confiable
amigable	creativo	ingenioso	no confiable
generoso	amable	responsable	cauteloso
gentil	querible	seguro de sí mismo	agudo
bondadoso	coherente	creído de sí mismo	malvado

De *35 Must-have Assessment & record-Keeping Forms for Reading* de Laura Rabb (Scholastic Professional Books, 2001)

La biblioteca de aula · Scholastic LIBROS PARA DOCENTES

Impreso en Quebecor World Pilar S.A.
Calle 8 y 3 - Ruta 8 Km 60 - Parque
Industrial Pilar
Buenos Aires, mayo de 2006